D0285703

2$

Corelie Martel
6B
#24

AMERICAN CLICHÉS

www.editions-jclattes.fr

Sophie Simon

AMERICAN CLICHÉS

Nouvelles

JC Lattès

Maquette de couverture : Bleu T
Photo : *Home from work* © FPG / Getty Images

ISBN : 978-2-7096-3517-2

© 2011, éditions Jean-Claude Lattès.
Première édition avril 2011.

À mon fils, Moshé

ED BOOKMAN

Ed Bookman travaillait dans une des plus grosses banques d'affaires de New York. À son étage, il était réputé pour son extrême gentillesse et ses écharpes tricotées par son épouse Eleonore. Ed semblait pleinement satisfait de son travail. Il avait débuté en distribuant le courrier dans les étages de la compagnie, et avait gravi les échelons un à un pour accéder au poste de comptable de la section 7a. Depuis qu'Ed avait été nommé à ce poste, plus jamais il n'avait cherché à monter en grade. Il s'estimait déjà bien chanceux de posséder son propre bureau.

Celui-ci était constitué de trois cloisons en verre ; une sorte d'aquarium juxtaposé à d'autres aquariums parfaitement ordonnés dans une immense salle éclairée de néons, au vingt-deuxième étage d'une tour qui en comptait quarante.

Chaque jour, Ed quittait le bureau à dix-sept heures trente, sa vieille sacoche en cuir à la main, et gagnait en métro la Gare centrale. Il retrouvait ensuite son train pour un trajet de vingt minutes jusqu'à sa petite banlieue du New Jersey, où Eleonore et leurs deux délicieuses fillettes l'attendaient dans leur modeste mais coquet pavillon.

Ce soir-là, le train resta bloqué plus d'un quart d'heure entre deux gares, jusqu'à ce qu'on répare la panne. C'était déjà arrivé quelques fois, et le train finissait toujours par repartir, mais Ed détestait cela parce qu'il savait qu'Eleonore s'inquiétait au moindre de ses retards. Et puis, ils étaient invités à dîner chez son frère.

Ed essayait de garder son calme, comme le faisaient la plupart des voyageurs, habitués à ce genre d'incident. Mais l'image d'Eleonore l'obsédait. Elle était capable d'appeler les hôpitaux et les postes de police. « Personne n'est donc fichu de réparer ce train ? » se répétait-il.

Il se leva, jeta un œil par la fenêtre du wagon et héla un mécanicien qui passait près des rails. Mais le type s'éloigna sans lui prêter attention.

Ed resta debout au milieu du compartiment, sa sacoche à la main, à guetter dans le regard d'autres passagers un éventuel soutien. Mais chacun semblait ignorer la panne autant que ses appels silencieux.

Enfin, la lumière se rétablit dans la rame et le train s'ébranla. Ed retourna s'asseoir, sortit un mouchoir de sa veste et essuya la sueur de son front. Il sourit en hochant la tête sous l'œil indifférent des voisins.

— Seigneur, Ed, te voilà enfin !

— Je suis désolé Elie, il y a eu une panne…

— Nous sommes très, très en retard !

— Je sais chérie, je file me doucher.

— Non, d'abord il faut que tu ailles en ville chercher des fleurs pour Maggie, je n'ai pas eu le temps et j'attends la petite Hattaway qui vient garder les filles.

— Elie, je viens d'arriver, pourquoi ne coupes-tu pas quelques fleurs du jardin ? demanda Ed en posant sa sacoche sur le petit fauteuil crapaud de l'entrée.

— Ed !

— OK ! J'y vais ! Embrasse les filles pour moi.

Ed monta dans sa Ford et emprunta la petite route qui longeait le canal pour aller en ville. Il y avait rarement du monde sur cette petite route. De rares promeneurs, comme ce jour-là, cet homme et son épagneul. Les automobilistes préféraient prendre l'autre voie, de l'autre côté du canal, plus directe et rapide. Ed, lui, adorait ce chemin bordé de massifs fleuris qu'entretenait la ville avec soin. Cette route le mettait toujours de bonne humeur. Elle avait quelque chose de bucolique et d'irréel, comme un décor de film pour enfants. C'était un paradis où rien de mal ne pouvait survenir.

Ed arriva chez le fleuriste en dix minutes et en mit plus de quinze à composer son bouquet. Il était superbe et Ed en était très fier. En réalité, il avait plus pensé à sa femme en l'achetant qu'à Maggie.

Sur le chemin du retour, il essayait de se remémorer le nom de chaque fleur, ça aurait tant impressionné Eleonore, mais à part les pivoines, qu'elle adorait, il ne se souvenait de rien.

Il se dit qu'il aurait pu en prendre un aussi pour elle. Il réfléchit quelques instants puis freina, après avoir jeté un rapide coup d'œil dans le rétroviseur pour s'assurer que personne n'arrivait derrière lui. Mais au moment où il entreprit son demi-tour, il ne vit pas le motard qui fonçait droit sur lui. Et quand il entendit le klaxon, il était déjà trop tard. Ed paniqua, le motard klaxonna encore et encore en lui faisant signe de dégager.

Il ne percuta pas la voiture d'Ed mais freina si brutalement qu'il perdit le contrôle de son engin, et, fracassant le parapet, il disparut dans l'eau sombre du canal.

Le promeneur était à quelques mètres de là. Il retenait son jeune épagneul qui tirait sur la laisse comme un forcené. L'homme recula lentement, et sans lâcher la scène des yeux, s'enfonça dans l'épais feuillage d'un talus.

À l'endroit où la moto et son passager venaient de s'abîmer, Ed ne vit rien d'autre que des bulles remonter à la surface qu'une trace d'huile irisait. Il savait nager, mais ne plongea pas. Des bulles d'air remontèrent encore pendant quelques minutes, puis se raréfièrent et disparurent totalement. Ed enfouit son visage entre ses mains et éclata en sanglots. Après de longues minutes, il inspira, renifla, et cessa de pleurer.

Le promeneur bloquait la mâchoire de son chien entre ses genoux. L'animal remuait la queue et se débattait pour se libérer la tête.

– Chut! Penny! Calme-toi.

L'animal obéit et s'assit sur son postérieur.

Ed jeta un œil aux alentours puis regagna sa voiture.

L'homme et son chien sortirent de leur cache.

La nuit commençait à tomber.

– C'est toi? cria Eleonore du premier étage.

– Et qui veux-tu que ce soit? soupira Ed, comme pour lui-même.

– Tu as vu l'heure?

– Je sais. J'ai mis du temps à choisir les fleurs.

Il se doucha longuement. Trop longuement d'après Eleonore.

– Ed! J'ai l'impression que tu n'as pas envie d'aller chez ton frère! cria-t-elle de la chambre. Dépêche-toi, veux-tu?

– Je suis un peu fatigué, je me demande si je n'ai pas attrapé quelque chose, répondit-il de sa douche. Mais ça va aller.

Ed se prépara avec les vêtements qu'Eleonore avait posés sur le lit et la rejoignit dans l'entrée.

— Tu es très beau, mon chéri ! lui dit-elle en arrangeant le nœud de sa cravate.

Ed Bookman n'était pas si beau que ça. Sous certains angles, il était même assez laid. Mais sa grande taille et sa minceur lui conféraient une certaine allure et parfois, lorsqu'il daignait faire un peu attention à sa façon de s'habiller et de se tenir, un vague air de James Stewart.

Ed n'était pas du genre négligé, mais si son épouse ne prenait soin de lui préparer sa tenue, il était capable d'enfiler une chemise jaune pâle et un gilet vert.

Eleonore s'installa dans la voiture, son sac à main sur les genoux, et jeta un œil par-dessus son épaule, sur le bouquet posé à l'arrière. Ed démarra.

— Tu n'as pas pensé à en acheter un pour moi ? hasarda-t-elle.

Ed ne réagit pas, et conduisait en regardant fixement la route éclairée de ses phares.

— Tu m'écoutes ? demanda Eleonore.

Ed freina et rangea la voiture sur le bas-côté.

— Ed ! Qu'est-ce que tu fabriques ?

Il posa la tête sur le volant et se mit à pleurer. Eleonore le secouait en criant, et essayait de le redresser. Mais Ed retombait sans cesse comme un poids mort, le front heurtant le volant chaque fois.

Enfin il se mit à parler, à raconter l'accident. Eleonore se tut. Elle l'écoutait sans l'interrompre, les mains cramponnées à l'anse de son sac, le regard absent, fixé sur les lèvres de son mari. Ils restèrent ensuite un long moment sans rien se dire, sur la jolie petite route enténébrée.

– Qu'est ce qu'on fait ? demanda Ed, rompant le silence.

Eleonore sortit de son sac son poudrier et un mouchoir, puis déplia le petit miroir du pare-soleil, et se repoudra le visage.

– Allons-y, dit-elle.

– Où ça ?

– Eh bien chez ton frère ! À moins que tu préfères aller te livrer à la police.

Ed baissa les yeux.

– Qu'attends-tu pour démarrer ? Bon sang on est déjà tellement en retard.

Ils n'échangèrent plus un mot du trajet.

Le temps d'appuyer sur la sonnette de la porte d'entrée, Eleonore se composa un air aimable et détendu. Et lorsque Maggie ouvrit avec un cri strident de bienvenue, son visage se crispa en une caricature de sourire. Quant à Ed, malgré sa pâleur, il s'efforça à l'affabilité.

Maggie ne remarqua rien (en dehors de leur retard, ce qui n'était pas bien, leur dit-elle, en agitant son index comme une maîtresse d'école). En revanche, quand Eleonore entra dans le salon, elle perçut dans la voix de George, son beau-frère et l'époux de Maggie, comme un voile de lassitude. Il y avait d'autres invités à ce dîner : les Grewman et les Huster. Des voisins. Les femmes semblaient sortir du même salon de coiffure ; même blond, même mise en plis. L'atmosphère était quelque peu pesante, les sourires forcés et les mots chuchotés.

Maggie, imperturbable hôtesse, frappa dans ses mains et invita l'assemblée à passer à table.

Au moment même où les invités s'apprêtaient à s'asseoir, Angie, adolescente brune et véhémente, dévala les escaliers.

Elle portait une petite veste en coton rouge, un chemisier et un jean retroussé sur des tennis blanches, et tenait contre son ventre un gros sac de voyage. Ses cheveux étaient peignés et attachés en une épaisse queue-de-cheval et une frange courte barrait son front. Mais ses pommettes et ses yeux étaient rouges, comme si elle venait de pleurer, et elle avait dissimulé sa peine et sa rage sous une copieuse couche de maquillage.

La jeune fille respirait en soulevant haut sa poitrine, comme pour s'armer de courage. Elle se tourna vers sa mère, et hoqueta :

— Je m'en vais et tu n'auras plus jamais de mes nouvelles. Je te hais comme tu ne peux pas imaginer et je me demande comment fait papa pour te supporter.

– Angie! intervint George.

Les invités se tenaient debout, les mains posées sur le dossier de leur chaise, le regard fuyant. Maggie tenta de dédramatiser la scène en levant les yeux et en prenant ses hôtes à témoin.

– Je te hais, toi et ton air hypocrite! poursuivit Angie. Je te préviens que si Barry a fait une bêtise, j'en ferai autant.

– Je vous prie de m'excuser une seconde! souffla Maggie en inclinant son buste volumineux.

Elle se leva.

– Viens avec moi, chérie, dit-elle, mielleuse, en avançant le bras pour saisir celui de sa fille.

Mais celle-ci se recula et frappa sa mère au visage. Tout le monde poussa un cri. Même Eleonore et Ed. Maggie cacha son visage entre ses mains et courut s'enfermer dans sa chambre.

Une fois débarrassé de Maggie, George se précipita vers Angie, la prit dans ses bras et tenta de la consoler.

C'est lui qui un peu plut tôt dans la soirée, alors que Maggie finissait de préparer le dîner pour ses invités, avait ouvert la porte à Barry, le petit ami d'Angie. C'est lui qui l'avait pris à part avant que Maggie ne le voie:

– Barry, tu sais très bien que tu n'es pas le bienvenu ici. Je n'ai rien contre toi... Tu sais bien... C'est...

— Je sais, monsieur Bookman, c'est votre femme, mais il faudrait qu'elle comprenne que j'aime Angie et que si elle nous empêche de nous voir on va partir tous les deux. Faut que vous le sachiez ça aussi, monsieur Bookman.

— Ça, mon garçon, il n'en est pas question ! Vous n'irez nulle part, toi et Angie. Elle n'a même pas seize ans, elle reste chez ses parents.

George avait dit ça calmement, mais Barry avait pu voir les maxillaires de George se crisper.

— Vous avez déjà été amoureux, monsieur George ? Vous avez épousé Mme Bookman, donc vous devez savoir ce que c'est ?

George avait enfoncé les mains dans ses poches de pantalon. Il avait paru chercher loin dans sa mémoire, mais aucune émotion n'avait troublé son regard.

— Mais peut-être ignorez-vous ce que c'est de ne pas voir la personne qu'on aime le plus au monde. Je vous jure, monsieur George, parfois elle me manque tellement que j'ai envie de foncer droit dans le canal avec ma moto.

George releva la tête.

— Écoute petit, tu connais Maggie, jamais elle ne laissera sa fille sortir avec toi, alors autant te jeter dans le canal tout de suite ! Je plaisante petit… Et puis, je vais te dire un truc, poursuivit-il en se penchant vers le garçon, sais-tu qu'il y a un risque qu'Angie ait le même caractère que sa mère en vieillissant? Allez, tu es un bon garçon, je le sais, tout le monde le sait. Sauf Maggie. Tu vas te trouver une chouette fiancée.

Barry baissa le visage et respira par les narines, à la manière d'un taurillon qui se prépare à charger. Et Barry chargea. Il donna un coup de tête dans la poitrine de George, qui, malgré sa stature imposante, fut projeté au sol. George se releva douloureusement, resta quelques instants les mains sur les hanches, puis, sans crier gare, fondit sur Barry et lui éclata l'arcade sourcilière d'un magistral revers du gauche.

Le jeune homme, sonné et le visage en sang, enfourcha sa moto.

« Je t'aime, Angie! N'oublie jamais que tu étais tout pour moi », avait crié le garçon en s'éloignant en direction de la jolie petite route fleurie.

*

À table, Eleonore pliait et dépliait sa serviette sur ses genoux, et Ed, les épaules basses, fixait les restes de son rosbif dans son assiette. Sur le chemin du retour, ils ne s'adressèrent pas la parole.

C'est seulement dans leur lit, en pyjama rayé pour l'un et nuisette bleu pâle pour l'autre, qu'Ed rompit le silence.

– C'était le fiancé d'Angie. C'est lui le gosse que j'ai tué.

— Tu n'as tué personne. Ce gosse s'est jeté tout seul dans le canal, tu as entendu ce qu'ils ont dit, non ?

— Oui, mais il klaxonnait et il me faisait signe de dégager la route… Je ne crois pas qu'il voulait mourir… Et puis, je n'ai pas plongé… J'ai eu peur.

— Ed, fit Eleonore en se redressant dans le lit. Que veux-tu à la fin ? Tu veux jeter aussi notre famille dans le canal ? C'est ce que tu veux ? Et puis rien ne prouve qu'il ne se soit pas sorti de là. Il a très bien pu remonter à la surface quelques mètres plus loin ! De toute façon je ne veux pas y penser. Je ne veux plus jamais qu'on en parle. Plus jamais. Bonne nuit.

Le lendemain, pendant son heure de pause déjeuner, Ed appela son frère d'une cabine car il n'utilisait jamais le téléphone de la société pour ses appels privés. Certains ne se gênaient pas pour le faire, mais pas lui. Quant aux employés qui rapportaient chez eux stylos, papier, gommes et autres menus larcins, il préférait ne pas leur adresser la parole et marquait sa désapprobation en ne leur accordant aucun regard lorsqu'il les croisait dans les couloirs.

— Comment va Angie ?

— Mal. Elle s'est enfermée dans sa chambre. Elle dit qu'elle veut se tuer…

Ed se tourna afin d'éviter le regard de la femme qui attendait son tour devant la cabine.

— Elle dit qu'elle n'a pas vu Barry aujourd'hui et qu'il n'était pas au garage, reprit George.

Un homme vint attendre de l'autre côté de la cabine. Ed n'eut d'autre choix que de se tourner face au téléphone.

— Je suis inquiet, Ed.

— Je ne sais pas trop quoi dire… Je suis sûr que ça va s'arranger.

— Ed, faut que je te laisse. Embrasse Elie.

Ed resta encore quelques instants le combiné collé à l'oreille, et contrôla sa respiration pour ne pas s'effondrer dans la cabine, à la vue de tous.

Ed eut un mal fou à s'endormir cette nuit-là. Eleonore, moins. De toute façon, elle avait eu une journée épuisante, entre les courses, le ménage, les filles à ramener de l'école, leur donner le bain, les faire dîner, les coucher. Elle avait déjà tant de choses auxquelles penser.

Vers onze heures du soir, Ed se releva, enfila sa robe de chambre et descendit au salon. Il resta immobile un long moment au milieu de la pièce, puis alla se servir un whisky. Il s'assit dans le canapé, but une gorgée et posa son verre sur un petit napperon en crochet. Il attrapa le téléphone posé à côté de lui sur la desserte et le cala entre ses genoux. Il décrocha le combiné et composa le numéro de son frère.

— George, c'est moi. Je ne vous réveille pas ?

— Non.

— Je voulais prendre des nouvelles d'Angie.

— Elle est dans sa chambre. Elle dort. Dis-moi, Ed, je ne t'ai jamais vu si inquiet pour ta nièce, qu'est-ce qui t'arrive ?

— Elle semblait si bouleversée… c'est tout… J'aime Angie, tu le sais.

— Oui, je sais. Ne t'inquiète pas, elle allait un peu mieux ce soir. Elle était tranquille. Tu avais raison, ça va s'arranger.

Ed raccrocha et pinça ses lèvres en une sorte de sourire satisfait. Il prit une dernière gorgée, alla rincer son verre dans la cuisine et monta se glisser, en silence, dans le lit.

Le lendemain, Ed se réveilla d'excellente humeur.

Les rayons de soleil encore faibles à cette heure matinale pénétraient timidement par la fenêtre de la cuisine où Ed et toute la famille prenaient leur petit déjeuner.

Ed adorait le mois de mai. Chaque année, à cette période, il parlait avec Eleonore des transformations à effectuer dans le jardin ; les arbustes à tailler, le bassin à poissons à nettoyer, l'allée de gravier à garnir, la balançoire des petites à vérifier… Ce matin, il prenait son café debout devant la fenêtre, le pouce dans un passant de sa ceinture et admirait les hibiscus et les rosiers bourgeonnants.

— Cette année, dit-il, j'aimerais planter des hortensias tout le long de l'allée. Qu'en penses-tu, chérie ?

— Je ne sais pas, on verra, dit Eleonore qui net-toyait le bol de céréales que les filles venaient de renverser en se chamaillant.

— Veux-tu de l'aide ? demanda-t-il en posant sa tasse sur la table.

— Non, j'ai fini.

Il enfila sa veste qui était posée sur le dossier de la chaise, embrassa sa petite famille qui ne lui prêta qu'une distraite attention, et partit prendre son train de sept heures trente-cinq.

Ce jour-là, comme chaque jeudi, Ed déjeunait avec trois collègues. En quittant l'immeuble, il passa devant la cabine téléphonique de laquelle il avait appelé son frère, la veille, et se dit qu'il lui parlerait au retour. Il ne voulait pas retarder les autres et empiéter sur leur courte pause. Mais au retour, il oublia et n'y repensa qu'une fois dans son aquarium, au vingt-deuxième étage. Cet oubli l'obséda et il lui fut impossible de se concentrer de tout l'après-midi.

À cinq heures et demie, il se précipita vers la pointeuse, salua brièvement ses collègues et courut jusqu'à la gare.

— Angie a disparu, lui annonça sa femme.

La phrase fit écho dans tout son corps. Cognant contre ses tempes, rebondissant dans sa poitrine, son ventre.

— Je vais chez eux, dit-il.

— Ils sont au poste de police. Ils nous appelleront à leur retour.

Georges appela son frère vers neuf heures du soir. Il ne lui apprit pas grand-chose en réalité. Angie avait disparu et il n'avait aucune idée de l'endroit où elle pouvait être. Elle n'avait laissé aucun mot et n'avait pris aucune affaire.

Ed n'avala rien du dîner et s'efforçait de sourire chaque fois qu'Eleonore levait les yeux vers lui.

Quand elle eut fini, elle débarrassa son assiette et plaça celle d'Ed dans le réfrigérateur.

— Je monte me coucher, dit-elle en posant, au passage, sa main sur son épaule.

— J'arrive.

Ed resta un long moment dans la cuisine, sans bouger, à fixer la chaise vide en face de lui.

Puis il se décida et monta dans la chambre.

Eleonore ne dormait pas. Elle était tournée de son côté, les yeux ouverts.

Ed s'assit dans le lit, les jambes allongées sous les draps, le dos appuyé au mur.

— Crois-tu qu'une chose comme ça puisse s'arranger ?

— Non. Je ne le crois pas, Ed. Tu ferais mieux de dormir, nous réfléchirons à tout ça demain.

Elle éteignit la lumière.

— Elie, j'aimerais que tu me dises que ça va finir par s'arranger. Si toi tu me le dis, je pourrai le croire.

Eleonore ralluma la lumière et se redressa brusquement.

— Tu sais, Ed, je me suis souvent demandé si tu
n'étais pas idiot. Et moi une imbécile de t'avoir
épousé. Longtemps, j'ai refoulé cette idée. Sinon je ne
sais pas où je serais aujourd'hui… Sûrement mariée à
un autre imbécile, peut-être pas aussi gentil que toi.
Je pense que nous sommes de pauvres imbéciles tous
les deux. Deux pauvres petits lâches avec deux pauvres
petites vies. Je me demande si ce qui est arrivé n'est
pas un signe du Seigneur. Je ne sais pas encore ce qu'il
veut nous dire mais je crois que c'est un signe, Ed. Il
faut se réveiller : la mort ne s'arrange pas, mon chéri.
Ce gosse est mort par ta faute et il reste à prier qu'Angie ne l'ait pas suivi. Je suis désolée, Ed, je ne peux
plus mentir. Ça n'a plus de sens maintenant.
Apprendre aux filles à ne pas mentir, que la vie est
belle, je ne sais pas si je pourrai encore le faire avec toi
à mon côté.

— Qu'est-ce que tu veux dire ?

— Je ne sais pas. Je suis juste lucide. C'est la première fois que ça m'arrive et je crois que je préférais
être aveugle.

— Tu veux me quitter ?

— Pour aller où ? Je te l'ai dit, je suis aussi lâche
que toi. Je veux que tu trouves une solution. Je veux
que tu te montres digne. Je suis fatiguée. Bonne
nuit. Nous verrons demain matin.

Eleonore éteignit de nouveau et se tourna.

— Il n'est peut-être pas mort, le petit, dit Ed après quelques minutes.

Le lendemain matin, Eleonore habillait les filles dans leur chambre et Ed sortait de sa douche et se frictionnait les cheveux quand la sonnerie du téléphone retentit. Par réflexe, chacun de son côté suspendit son activité, puis Ed alla décrocher le téléphone de la chambre, la serviette autour de la taille.

George lui annonça qu'Angie était rentrée à la maison accompagnée de deux policiers.

Ils l'avaient retrouvée sur le grand pont métallique du canal, assise sur le rebord en larmes. Elle avait attaché sa cheville à une corde reliée à une grosse pierre.

Eleonore quitta les filles et se dirigea vers la chambre en guettant les paroles d'Ed.

George déclara ensuite que Barry s'était jeté dans le canal, et qu'on avait repêché son corps. Ed jeta un œil en direction de la porte et s'assit sur le lit.

Eleonore était dans le couloir, adossée au mur de la chambre et écoutait la fin de la conversation. Ed demeura assis quelques instants, la tête entre les mains. Eleonore attendit encore un peu, et entra silencieusement dans la pièce. Ed releva la tête.

— Angie est rentrée, dit-il, surpris.

La sentant défaillir, Ed la prit dans ses bras.

— C'est fini, ma chérie. Tu vois, je ne te l'avais

pas dit que tout s'arrangerait ? Hein ? Je ne te l'avais pas dit ?

Eleonore, les yeux grands ouverts, hochait la tête.

Ed se recula pour la regarder et la serviette qu'il avait autour de la taille tomba.

— Voilà une excellente façon de commencer la journée : nu dans les bras de sa femme !

— Tu es bête, sourit elle. Dépêche toi, tu vas finir par être en retard.

Ils se faisaient face et se regardaient dans les yeux. Ils semblaient sur le point de se dire quelque chose mais ils se contentèrent d'un sourire.

Ed s'habilla et retrouva sa délicieuse famille dans la cuisine. Il caressa les cheveux des deux fillettes qui avalaient leurs céréales, déposa un baiser sur la joue d'Eleonore, et vint boire son café devant la fenêtre.

— Plutôt que des hortensias, que dirais-tu si nous plantions des lauriers ? Nous pourrions aussi remplacer les graviers par des pavés, c'est moins salissant, tu ne crois pas ?

Il se retourna mais personne ne lui accordait la moindre attention ; les fillettes étaient occupées à se disputer le dernier biscuit, et Eleonore lavait les bols du petit déjeuner dans l'évier.

— Nous irons acheter une nouvelle balançoire aussi, ajouta-t-il, pour lui-même, en enfilant sa veste.

Il quitta la cuisine, enfila son pardessus accroché dans l'entrée, saisit sa sacoche et ouvrit la porte. Une enveloppe était posée sur le perron.

Il la ramassa et l'ouvrit :

Cher Monsieur Bookman, il y a trois jours, alors que je promenais mon chien au bord du canal, j'ai été témoin de l'accident que vous avez provoqué. J'y ai assisté, du début à la fin. J'ai vu le motard plonger avec sa moto. J'ai vu vos larmes et votre impuissance. Monsieur, soyez sans crainte, je ne révélerai rien à la police ni à personne. Je n'ai rien fait non plus pour sauver ce garçon. Je suis donc un peu responsable, moi aussi, lâche, moi aussi. Je vous écris cette lettre pour partager avec vous le poids de cette épreuve. Je suis comme vous père de famille et je veux épargner ces tracas à ma femme et mes enfants. J'espère que je saurai calmer ma conscience qui me tenaille et m'empêche de trouver le sommeil. Si par malheur je n'y arrivais pas, je vous contacterai avant de faire quoi que ce soit.

Ed referma son poing sur la lettre et l'enfonça dans la poche de son pardessus.

Il regarda autour de lui ; dans la rue, les maisons voisines, derrière les fenêtres, dans les jardins ou les voitures qui passaient, tout le monde lui parut suspect.

Après quelques secondes de vague hésitation, Ed partit, comme chaque matin, en direction de la gare.

Debby, Trevor et les autres

— Trevor ? Je te réveille ?

— Un peu, oui… Il est trois heures du matin.

— Je suis désolée… Ça va ?

— Oui, Debby, ça va ! Ça va bien, je crois… Peut-on remettre cette discussion à demain ?

— En fait, non. Moi, ça ne va pas très bien. J'ai un cafard terrible, j'ai besoin de te parler.

— Je t'écoute.

— Je peux venir ?

— Maintenant ?

— Je t'assure, j'ai vraiment le moral très bas.

— Ramène-toi.

Trevor raccrocha. L'homme à côté de lui, beaucoup plus jeune, semblait dormir. Quelques ronflements s'échappaient de sa bouche molle.

— On ne peut pas dire que tu aies le sommeil élégant, murmura Trevor.

— Quelle heure est-il et qui vient?

— Debby et son cafard. Il est trois heures. Rendors-toi, mon petit.

Trevor se leva, enfila ses pantoufles et sa robe de chambre en soie brune de chez Saks sur son pyjama, saisit son manuscrit posé sur la table de chevet et gagna la cuisine.

Il se prépara un thé, s'assit et ouvrit son manuscrit.

Un peu plus tard, la sonnerie de la porte le réveilla en sursaut.

Une jeune femme aux cheveux courts et blond platine était appuyée contre le chambranle. Elle semblait attendre là depuis des lustres. Elle donna une impulsion sur le côté pour se décoller du mur et entra.

— Tu as des lettres imprimées sur la joue, fit-elle. Bon Dieu, vous jouez à de ces trucs avec Milton.

— Je me suis endormi sur une page de mon manuscrit en t'attendant, dit-il en refermant la porte. Tu veux un thé?

— Un quoi, chéri?

— Un thé.

— Oh je ne veux rien! soupira-t-elle en se laissant tomber dans le canapé du salon. Si, je voudrais tout recommencer de zéro.

— À partir de quand?

Trevor s'installa dans le fauteuil face à elle. Il croisa les jambes et les recouvrit d'un pan de sa robe de chambre.

— Eh bien… disons, avant que je rencontre Jack.

— C'est donc encore lui.

— Qui veux-tu que ce soit ?

— Le vieil Alfred ?

— Pff… Le pauvre Alfred… Tu as encore changé la décoration ?

— C'est Milton.

— C'est joli. Il a du goût. Tout est si calme chez vous, si paisible.

— Ne te fie pas aux apparences, cocotte, dit Trevor en se caressant la nuque.

— Ho, ho ! Il s'est passé quelque chose !

— Pas plus que d'habitude…

— Tu as grossi un peu, non ?

— Bon, si tu vidais ton sac ?

— Oh… je n'ai plus envie d'en parler. Le simple fait d'être ici avec toi me fait du bien. J'ai soif. Tu veux quelque chose ?

Debby alla se servir un verre au bar dans un coin du salon.

— Sers-moi une vodka, dit-il en enlevant une poussière imaginaire sur sa robe de chambre.

Elle lui apporta sa vodka et retourna s'allonger dans le canapé.

— Oh, tu savais que la vieille Nancy Brisford se payait des gigolos ? lança-t-elle.

— Tout le monde sait ça ! Quel est le problème ?

— Trevor ! Elle a soixante-douze ans ! Si j'ai encore des envies de ce genre à cet âge, je demanderai une euthanasie. Une vieille dame doit s'occuper de ses petits-enfants ou d'œuvres caritatives ou de ses chiens, mais pas de bites.

– Sœur Debby a parlé ! lança Trevor en levant son verre puis le vidant d'une traite. Brisford ne l'a baisée qu'une fois en quarante-cinq ans. (Debby réprima un cri d'effroi.) Il était réputé pour avoir la dent dure dans la finance mais aussi pour sa bite molle, ma chère. La pauvre Nancy a eu une bien triste vie. Il ne faut pas lui en vouloir de rattraper le temps perdu. Même à soixante-douze ans.

– La pauvre… C'est affreux ! Crois-tu qu'elle puisse encore jouir à soixante-douze ans ?

– Je n'en sais rien, il faudrait lui demander… soupira-t-il en posant son verre vide sur la table basse devant lui.

Il se leva en s'appuyant sur les accoudoirs comme un vieillard podagre.

– Je vais me coucher. Cette conversation m'a un peu donné la nausée. Tu veux dormir là ?

– Bon sang, je n'ai même pas la force de me lever, dit-elle, allongée de tout son long sur le canapé, son verre vide posé sur le ventre. Trevor, je peux dormir dans votre lit ? Je sens que si je reste toute seule je vais encore cogiter toute la nuit.

– Si tu veux, mais va te démaquiller, la dernière fois tu as taché tous les oreillers avec ton rimmel et ton rouge à lèvres.

Debby détestait se démaquiller. Sans fard, ses yeux et sa bouche lui paraissaient trop petits et dénués d'intérêt.

— Trevor? chuchota-t-elle derrière la porte de la chambre. Éteins la lumière s'il te plaît!

— Arrête ce cirque, ce n'est que nous, ramène-toi.

— Ne regardez pas, geignit-elle en courant se glisser sous les draps de satin, entre les deux hommes.

— Quel dommage, tu as gardé ta combinaison! lança Milton.

Debby gloussa.

— Pourquoi vous ne m'adopteriez pas? On formerait une espèce de famille.

— J'ai assez d'un enfant à la maison, répondit Trevor.

— Et tu n'as pas un de tes amis homosexuels qui chercherait une femme comme moi?

— Chérie, les homosexuels ne cherchent pas de femme, ni comme toi ni différente. Allez, on dort. Je me lève, moi, demain.

Trevor se tourna de son côté et ramena le drap sur ses épaules.

— Je voudrais épouser un homosexuel. Je suis sûre que ça se trouve, un homosexuel qui aime les femmes… Des tas d'acteurs homosexuels épousent des femmes, regarde Cary Grant, Lawrence Olivier, Humphrey Bogart…

— Humphrey Bogart est pédé? demanda Milton.

— Mais non! soupira Trevor qui écoutait malgré lui.

— Mais si! Tout le monde le sait sauf toi.

— Tu n'es plus avec Jack? s'enquit Milton.

— Non, on vient de rompre. J'en ai assez de ses infidélités. Je voudrais une famille et tout ce qui va avec… Je ne veux pas finir comme une vieille actrice névrosée.

— Tu veux fonder une famille avec un homosexuel? Ma pauvre chérie, tu es vraiment au bout du rouleau… Et puis les homosexuels ne sont pas plus fidèles que les autres, mon ange.

— Je sais, mais je pense que ça me dérangerait moins d'être trompée pour un homme.

Trevor se redressa sur un coude et saisit une petite boîte en métal posée sur sa table de nuit. Il en sortit deux boules Quiès qu'il s'enfonça dans les oreilles.

Debby et Milton se regardèrent comme deux enfants craignant les foudres de leur père. Puis ils fermèrent les yeux et se concentrèrent pour dormir. Après quelques minutes, les deux hommes ronflaient déjà. Debby avait les yeux grands ouverts et regardait fixement le plafond dans la pénombre. Elle se tourna vers Milton et souffla sur son visage qui s'anima de petits tics nerveux. Mais il ne se réveillait pas. Alors Debby lui pinça le nez. Le jeune homme, le souffle coupé, ouvrit la bouche et inspira une grande bouffée d'air. Il découvrit le visage de Debby à quelques centimètres qui l'observait en souriant stupidement.

— Alfred m'a demandée en mariage, lui murmura-t-elle.

— Tu as failli m'étouffer !

— Tu as entendu ce que je viens de dire ? Alfred m'a demandée en mariage.

— Et alors ? soupira Milton en se tournant sur le dos, les yeux fermés.

— Je ne l'aime pas. Il n'est ni laid ni bête ni rien, et des tas de femmes aimeraient être à ma place, je t'assure, mais le fait qu'il m'aime moi m'exaspère. Ça me donne presque envie de le gifler. J'aimerais être une garce comme ces femmes vénales sans états d'âme. Je ferais semblant et tout serait simple.

— Je te rassure, chérie, tu l'es un peu.

— Merci, mon chou, mais pas assez, sinon j'épouserais le vieil Alfred et je profiterais de tout ce qu'il m'offre sans scrupules. Mon problème c'est que je place l'amour au-dessus de tout.

— Même au-dessus de ton bonheur, dit Milton en bâillant. À ton âge, il faudrait que tu places l'argent au-dessus de tout.

— Je t'envie comme tu ne peux pas imaginer ! souffla Debby.

— Rien n'est tout rose, ma chérie…

— Oh, raconte !

— Un autre jour…

— Tu es malheureux ?

— Pas autant que toi, je n'ai pas ton goût pour le

drame, mais je te dis que tout n'est pas rose. C'est tout.

— Je n'ai pas le goût du drame !

— Si, tu l'as. Sinon tu aurais arrêté ton histoire avec Jack depuis belle lurette.

— Je l'aime, ce n'est pas simple de se séparer de quelqu'un qu'on aime à ce point.

— C'est ça ton problème. C'est le « à ce point ».

— Pourquoi ? Tu n'es pas fou de Trevor ?

— Je l'aime, mais je le quitterais s'il me rendait trop malheureux ou s'il me traitait comme Jack te traite.

— Tu penses que je suis folle, n'est-ce pas ?

— Oui, un peu. Mais ce n'est pas très grave, lâcha-t-il en réfrénant un bâillement. On dort ? Je suis mort de fatigue et demain après-midi j'ai une audition.

Le jeune homme se tourna de l'autre côté. Après quelques minutes, Debby lui tira le lobe de l'oreille :

— Milton, tu ne peux pas me dire que je suis folle et t'en tirer comme ça ! Je ne vais jamais pouvoir dormir !

— Je vais te trouver un mari, moi. Donne-moi une semaine et je t'en trouve un.

Milton lui fit un clin d'œil.

Quand Trevor se leva, Debby et Milton dormaient encore profondément. Ils se faisaient face, la bouche ouverte. Leurs traits gonflés de sommeil les faisaient paraître encore plus enfantins.

Debby, Trevor et les autres

Il remonta le drap jusqu'à leurs épaules, se prépara, et partit pour son bureau à deux pas de leur immeuble sur Lexington.

Quand il rentra, vers une heure, il les trouva en peignoir dans la cuisine, occupés à dresser une liste de maris potentiels pour Debby. Plusieurs journaux et revues étaient étalés sur la table et Debby en feuilletait une, s'attardant parfois sur les photos de quelques personnalités. Milton fouillait dans son répertoire.

— Trevor, demanda Milton, que penses-tu de Truman Finley ?

— Le pianiste ?

— Oh, j'adore le piano ! s'emballa Debby.

— La dernière fois que je l'ai vu c'était dans une urne.

— Bon Dieu, qu'est-ce qu'il fichait là-dedans ? Oh, c'est une sorte de magicien ou l'un de ces types qui font des trucs bizarres avec leur corps ? Un contorsionniste ? Oubliez, ce n'est pas du tout mon genre.

— Une urne funéraire, chérie, dit Trevor en ouvrant le frigidaire.

— Truman est mort ? Je me disais aussi, on n'a plus de ses nouvelles, dit Milton en barrant son nom dans son répertoire.

— Je sais qui t'irait très bien, lança Trevor en sortant un plateau de fromages.

— Qui ?

— Francis Gullmann.

— Je n'aime pas trop son nom, grimaça Debby.

— Gullmann le photographe ? demanda Milton.

— Pas de photographe ! lança Debby. Ce sont les plus grands coureurs au monde. Je sais de quoi je parle.

— Pas lui. Et il est reporter de guerre.

— J'aurai peur chaque fois qu'il partira en reportage.

— Si tu ne veux pas avoir peur, dit Trevor, épouse Alfred.

Debby se leva et alla regarder son reflet dans le verre d'une petite lithographie orientale encadrée, accrochée à l'entrée de la cuisine.

— Il est beau ? demanda-t-elle en inclinant un peu la tête pour voir la racine de ses cheveux. Bien que ce me soit égal en réalité mais il n'est pas affreux, n'est-ce pas ?

— Il est très joli garçon, il te plaira, dit Trevor.

— Oh, bon Dieu ! Je ne tiendrai jamais jusqu'au dîner. Je ne peux pas avant la semaine prochaine et il faut que j'aille me faire une teinture, disons mercredi soir ?

— Je l'appellerai du bureau. Faites-moi un café les enfants, je dois y retourner dans dix minutes.

Le dîner fut programmé pour le mercredi suivant.

En plus de Gullmann, Trevor avait invité six amis intimes dont trois femmes, que Debby, qui détestait la concurrence, avait souhaitées laides ou vieilles : son éditrice obèse, Tallulah Patterson, Nancy Flagherty la poétesse au profil d'oiseau de proie, et la décoratrice Hellen Valmeken, que Debby avait saluée d'un avisé « enchantée, monsieur ».

Un jeune acteur, nommé Taylor Douglas, était aussi présent, parce qu'un dîner sans jeune homme à conquérir était selon Trevor un dîner ennuyeux.

Debby était arrivée en robe de taffetas si moulante et dont la teinte se rapprochait tant de celle de sa peau qu'on eût dit, au premier regard, qu'elle était simplement venue en talons et bijoux. Et, à voir son sourire, on pouvait penser que c'était bien l'effet recherché.

Debby fut immédiatement séduite par le reporter de guerre. Bing ! Dès le premier regard.

Gullmann était grand et mince, le visage un peu marqué par ses périples, et possédait une élégance naturelle et désinvolte. Il parlait doucement, d'une voix chaude, et savait accaparer l'attention sans la solliciter.

Debby n'avait presque rien avalé du dîner, grignotant du bout de ses jolies dents.

Gullmann ferait un mari et un père fantastique. Peut-être qu'elle pourrait le convaincre de faire modifier son nom... Voilà ce à quoi elle avait pensé durant tout le repas. Ils formeraient le couple le plus beau, le plus envié, le plus uni et le plus fort qu'on puisse rêver. Elle avait tellement pensé à lui et de façon si intime qu'elle avait eu le sentiment d'être devenue son épouse avant même la fin du dîner. Elle posa la main sur la sienne et lui demanda au creux de l'oreille de lui servir un verre d'eau. Tout juste se retint-elle d'ajouter : « S'il te plaît, mon amour. »

Gullmann se tourna vers elle, la gratifiant d'un sourire enjôleur, puis attrapa la carafe en cristal et remplit son verre.

Debby regardait, sans pouvoir s'en détacher, la main avec laquelle Gullmann la servait.

Elle but avec avidité, s'excusa et, se levant, fit comprendre à Trevor de la suivre dans la cuisine.

— Il n'a que deux doigts à la main gauche ! gémit-elle derrière ses mains.

Trevor vola une des framboises qui décoraient le gâteau posé sur la table de la cuisine. Il préleva aussi du bout de son index un peu de crème fouettée.

— Tu as vu ? C'est étonnant, non ? Il les a perdus au cours d'un reportage, je ne sais plus où, je crois que c'était…

— Pourquoi tu ne me l'as pas dit ?

— Ça m'avait semblé un détail…

— Un détail ! On dirait qu'il a une pince de homard, c'est horrible !

— Alors il ne te plaît plus ?

— Oh non non non non non !

— Ça va, n'exagère pas… Allez, viens, on y retourne.

Le lendemain, Debby téléphona à Trevor.

— Chéri, je suis désolée pour hier. J'ai réfléchi, je ne suis pas prête, je veux dire… J'ai Jack dans la peau. Donc je crois que c'est mieux que je laisse passer un peu de temps, du moins c'est ce que m'a conseillé mon psy. Mais Trevor, pour être sincère, je n'en ai aucune envie ! Tu vois, je pense qu'un clou en chasse un autre. Je pense que la vie est comme ça, et que les gens qui gardent quelqu'un en tête ainsi, d'une façon…

— Obsessionnelle…

— Oui, obsessionnelle, et bien sont des foutus névrosés, ce n'est pas de l'amour, j'en suis sûre, alors, si tu as quelqu'un d'autre à me présenter…

— Tu es libre ce soir ?

— Trois fois oui, mon chou !

— Je vais dîner avec des amis, je passe te prendre à huit heures.

Debby, Trevor, ainsi que les autres convives, passèrent la soirée chez Lucia, un restaurant italien dans l'est de Broadway.

Debby fit la connaissance de David, un joueur de polo qui avait ses dix doigts, comme elle l'avait constaté avec soulagement.

Vers une heure du matin, la joyeuse bande était rassemblée sur le trottoir devant le restaurant. Il était question de continuer la soirée dans un club où se produisait un groupe de jazz.

Trevor essayait de rester droit et digne malgré son état d'ébriété plutôt avancé. Il était en retrait, les poings enfoncés dans les poches de son manteau, les jambes un peu écartées et le visage fermé.

— Je rentre ! lança-t-il soudain à la cantonade.

Debby le rejoignit.

— Je vais te raccompagner.

— Tu as mieux à faire, dit-il en désignant d'un regard le joueur de polo.

Debby sourit.

— Je t'appelle demain.

Elle héla un taxi, aida Trevor à y monter et retrouva le groupe.

Le lendemain matin, Debby était assise sur son lit défait, en combinaison de soie parme. Le téléphone coincé entre la joue et l'épaule, elle peignait ses ongles en rouge.

Trevor était à son bureau, en chemise et pull-over, les cheveux peignés et plaqués en arrière, rasé de frais, mais le regard sombre et cerné.

— J'avais raison ! lança Debby dès qu'il décrocha.

— À quel moment ?

— Un clou en chasse un autre. J'en étais sûre ! Mon psy est nul.

— Debby ! Tu l'as rencontré hier.

— Et alors ? Jack, j'ai su dès le premier jour qu'il

allait m'en faire baver. Tu sais, je ne me suis jamais trompée. David est parfait. Et c'est un chic type. C'est la première fois que je tombe amoureuse d'un chic type.

— Je te donne trois semaines.

— T'es de mauvais poil ou quoi ? Tu t'es disputé avec Milton ?

— Il a fait ses valises.

— Il va revenir, tu le sais bien.

— Je n'en sais rien…

— Oh, Trevor… Veux-tu qu'on se voie ce soir ?

— Non non ! Vois ton David, je serais heureux pour toi si ça marchait. De toute façon il va revenir, il a besoin de moi.

Debby, soucieuse pour son ami, l'appelait presque chaque jour. Il lui était difficile de ne pas lui parler de son nouveau bonheur avec David tant il occupait son cœur et son esprit. Mais, comme l'avait prévu Trevor, environ un mois plus tard, l'idylle s'acheva.

Trevor était en robe de chambre, étendu sur le canapé, sa Remington posée sur les genoux, quelques feuilles éparses sur les coussins, son verre et une bouteille de whisky à portée de main, au bas du canapé, lorsqu'on sonna à la porte. Il pesta, attendit un instant puis reprit son travail. Quelques secondes plus tard, on sonna de nouveau. Il posa la

Remington par terre, se leva et alla ouvrir en nouant la ceinture de sa robe de chambre.

— Oh, Grace Kelly à ma porte! dit-il en découvrant Debby, drapée dans une étole en renard argenté sur une robe grise très ajustée. Hmm… Je crois que je vais reconsidérer ma position…

— Hé! Ne me dis pas que tu te taperais ce glaçon! Quoiqu'elle soit ravissante, cette garce. Toujours pas de nouvelles de Milton?

Trevor plissa les lèvres en guise de réponse.

— Tu m'offres un verre? Après je t'emmène dîner chez Lessie.

Debby le précéda jusqu'au salon. Trevor suivait d'un œil amusé les déhanchements cadencés de Debby.

— Grace Kelly est tellement chic. Son mari est affreux, non? Mais il a l'air gentil… Il me fait penser à mon vieil Alfred. Crois-tu qu'elle l'ait épousé pour son argent? Mince, tu travaillais? Ça marche? demanda-t-elle en s'asseyant sur le canapé.

— Pas mal. En fait j'écris mieux quand il n'est pas là.

Trevor servit un scotch à Debby puis rassembla les feuilles, récupéra son verre et s'installa dans l'angle du canapé, un bras allongé sur l'accoudoir.

— À l'amour! fit-il en levant son verre.

— Tu parles, quelle escroquerie… Buvons plutôt à l'amitié.

Debby avait les genoux serrés et promenait son

index sur le bord de son verre qu'elle avait posé sur ses genoux.

— Toi, tu as revu l'abominable Jack! lança Trevor.

— Comment le sais-tu?

— Je te connais.

Elle bascula la tête en arrière, resta quelques secondes à regarder le lustre et la redressa en soupirant.

— Trevor, j'ai tellement honte, je crois que je suis juste bonne à enfermer. Tout allait si bien avec David, on avait un tas de projets, je te jure, Trevor, j'étais vraiment amoureuse et puis Jack m'a appelée, c'est idiot, hein? dit-elle en levant un regard pitoyable vers Trevor.

— Suicidaire. Mais dis, pourquoi cette tête puisque tu as retrouvé Jack?

Elle prit une gorgée de scotch.

— Il a recommencé... Il a revu une fille, trois jours après.

— Waouh! C'est un rapide! J'admire ce type!

— Et David ne veut plus me parler.

— Normal.

— Je crois que je vais me suicider... ou quelque chose comme ça. Boire des litres et des litres de scotch... Bon sang, Trevor, as-tu entendu parler de l'immolation? Ça doit être affreusement douloureux. Je ne pourrais jamais faire un truc pareil.

— J'en suis ravi. Tu sais, tu devrais quitter New

York quelque temps. Je te prête la maison de Nantucket. Clos le dossier Jack.

Debby but une gorgée de scotch. Trevor saisit le bras de la jeune femme et l'attira à lui. Elle posa la tête contre son épaule et ferma les yeux. Trevor lui caressait les cheveux.

— Je voudrais avoir sept ans, dit-elle… Ou huit. N'importe quel âge en dessous de quinze ans et que tu sois mon père.

— Viens t'installer à la maison. Milton ne reviendra pas.

— Oh ne sois pas pessimiste, je t'en prie, ça va me fiche le bourdon.

— Il est venu chercher le reste de ses affaires ce matin.

— Oh merde, Trevor ! lança-t-elle en se redressant. Habille-toi, on va aller boire quelques verres pour oublier tout ça.

Trevor s'était habillé à contrecœur. Sortir alors qu'il faisait si froid et que son moral était si bas représentait un effort considérable.

À présent, il marchait, le cou rentré dans les épaules, une chapka enfoncée jusqu'aux yeux, dans le vent glacial et les rues illuminées pour les fêtes de fin d'année. Debby était accrochée à son bras comme si sa vie en dépendait. Le nez enfoui dans son renard argenté, elle admirait, bouche bée, les vitrines décorées.

Ils arrivèrent chez Lessie, la cantine de luxe préférée de Trevor. L'ambiance y était aussi animée que dans les rues. Couples, tablées d'hommes d'affaires, ou d'amis déjà grisés, tous fêtaient dignement et un peu en avance l'arrivée de la nouvelle année.

Debby repéra deux places libres près d'un groupe d'hommes. En réalité, c'est d'abord le groupe d'hommes qu'elle remarqua. Elle donna un léger coup de coude dans les côtes de Trevor et glissa au serveur qui les accueillait de les placer à cette table-là, précisément.

Le garçon, gracieux brun d'une vingtaine d'années, les y précéda. Tous les mâles suivirent d'un œil plus ou moins discret le pas nonchalant de Debby.

Tandis qu'elle s'installait sur la banquette, Trevor se débarrassait de son attirail hivernal : manteau, chapka, gant et écharpe, et confia le tout au garçon.

— Où est passé Norman, le serveur qui était à votre poste ? lui demanda Trevor. Il ne lui est rien arrivé de déplaisant, j'espère ?

— Pas du tout, monsieur, bien au contraire, il a été engagé au Waldorf Astoria.

Le jeune homme marqua une pause puis ajouta, à mi-voix :

— J'espère que je saurai vous faire oublier son départ, monsieur, confia-t-il, à mi-voix.

– C'est déjà le cas, sourit Trevor, sur le même mode.

Il lui commanda deux coupes de champagne et se tourna vers Debby. La jeune femme faisait mine de se repoudrer le nez et jetait des petits coups d'œil sur les hommes de la table voisine.

Alors Trevor se ravisa et demanda un magnum au garçon. La soirée, pensait-il, promettait d'être longue.

LE DESTIN D'HOWARD

Caroll était couchée et feuilletait son magazine préféré : *Jardins d'Illinois*.

Howard avait fini de se brosser les dents et tout ce qu'il avait à faire dans la salle de bains, mais demeurait immobile et concentré devant la grande glace au-dessus du lavabo.

– Chéri ? Tu fais quoi ? demanda Caroll.

– J'arrive…

Howard ferma les yeux et entonna à voix basse l'un de ses passages préférés de *Turandot*, celui chanté par Calaf au troisième acte :

> *Nessun dorma, nessun dorma*
> *Tu pure, o Principessa*
> *Nella tua fredda stanza*
> *Guardi le stelle*
> *Que tremano d'amore e di speranza*

American clichés

Ma il mio mistero è chiuso in me
Il nome mio nessun saprà!

Dans le jardin, Big, le dalmatien, s'était redressé sur ses pattes avant. La truffe en l'air et les yeux clos, il écoutait avec un plaisir manifeste son maître chanter.

À une certaine époque, Caroll aussi avait apprécié le don d'Howard. Elle aussi l'avait écouté les yeux clos, un indicible sourire au coin des lèvres. Mais les années avaient passé, et elle s'était habituée au talent indiscutable de son mari. Aujourd'hui, elle aurait préféré qu'il ait un don plus utile au foyer. Pourtant, Caroll aimait Howard. Elle l'aimait autant qu'il est possible d'aimer un homme qui, depuis dix-sept ans, consacre la majeure partie de son temps libre à chanter de l'opéra dans une pièce en sous-sol capitonnée de boîtes d'œufs vides.

– Howard ! S'il te plaît ! Big est en train de gratter à la porte ! Viens te coucher, bon sang !

Howard cessa net de chanter, il ouvrit les yeux et ses bras retombèrent lourdement le long de son petit corps empâté.

Il enfila sa robe de chambre et rejoignit sa femme.

– Big gratte à la porte, répéta-t-elle.

Howard glissa ses pieds dans ses pantoufles et descendit ouvrir au chien. Howard lui caressa les flancs et repoussa gentiment l'animal qui lui sautait dessus en remuant la queue.

Big se mit à courir comme un dératé dans le jardin, puis s'arrêta net et se plaqua au sol, l'arrière-train en l'air. Howard était debout sur le perron. Les mains enfoncées dans les poches de sa robe de chambre, il observait son chien avec amusement.

— Ce n'est pas l'heure, mon gros. Demain.

Alors Big laissa retomber son postérieur et regarda tristement son maître.

— Je vais t'enregistrer une cassette. Voilà ce que je vais faire, mon gros. Je vais t'enregistrer une cassette, comme ça tu pourras m'écouter quand tu voudras.

Big s'en alla lever la patte contre le rhododendron du jardin.

Howard monta dans la chambre et s'allongea près de Caroll, qui s'était endormie le magazine ouvert sur la poitrine. Howard ne lui prêta aucune attention. Il resta immobile à regarder le plafond pendant une bonne partie de la nuit.

Le lendemain, Howard ferma un peu plus tôt la droguerie et se rendit dans le petit magasin de hi-fi quelques mètres plus haut. La vitrine était tapissée de pochettes de disques de tous genres. Les murs de la boutique disparaissaient derrière des entassements hasardeux de matériels électroniques. Le vendeur, un grand barbu maigre à chemise de cowboy, baissa le volume de la musique quand Howard entra. Les deux hommes se saluèrent d'un sourire complice. Ils se connaissaient sans s'être jamais vraiment parlé. Ils travaillaient à quelques pas l'un de l'autre, mais un univers séparait le petit droguiste du vendeur de hi-fi.

— Je voudrais enregistrer une cassette, dit Howard. Je possède déjà une chaîne stéréo, mais je ne peux pas m'enregistrer avec. Je voudrais m'enregistrer et pouvoir écouter ma cassette après.

Le type réfléchissait en hochant la tête et battait de ses doigts bagués de têtes de mort le guichet en verre. Le petit bruit métallique faisait cligner les yeux d'Howard.

— J'ai! C'est un peu cher, mais c'est la même qualité qu'en studio. Vous aurez le micro, le casque, un équaliseur, et tout le nécessaire. Cent vingt dollars.

Howard ferma les yeux et procéda à quelques calculs mentaux.

— Vous chantez? lui demanda le vendeur. Vous chantez quoi?

— De l'opéra, répondit Howard qui semblait souffrir d'avoir été interrompu.

— Waouh! De l'opéra… En fait, je dis ça mais j'y connais rien. Je sais ce que c'est, je sais que c'est puissant et tout, mais j'y connais rien.

Howard renonça à ses calculs mentaux et lui adressa un sourire contraint.

– C'est bon, je vais la prendre.
– Super ! Vous m'enverrez une cassette ?

Caroll était à genoux, en train de creuser des trous dans la terre pour planter ses bulbes de tulipes. Quand elle le vit traverser le jardin avec son gros carton dans les bras, elle se releva et le suivit à l'intérieur, en maintenant ses mains gantées de caoutchouc bien en l'air.

– Je me suis fait un cadeau, dit Howard, rouge et essoufflé, posant le paquet sur la table de la salle à manger. Un petit cadeau, c'est une occasion, vraiment pas cher. À peine cent dollars !

Caroll pencha la tête au-dessus du paquet, le cou tendu. Le menton ainsi avancé, elle avait un petit air de poule. Quand Howard ouvrit le carton et en sortit la chaîne stéréo, elle afficha une grimace de déception.

– Une chaîne stéréo... Une autre. Pour pouvoir écouter encore plus d'opéras. Merveilleux, Howard, merveilleux, dit-elle en quittant la pièce.

– Ce n'est pas ce que tu penses, chérie. C'est pour m'enregistrer. Le vendeur m'a dit qu'elle était exceptionnelle.

Howard admirait son petit bijou et, sourire béat aux lèvres, chercha sa femme dans le salon. Mais Caroll était déjà agenouillée devant ses bulbes, et, à l'aide d'une petite pelle, creusait la terre avec obstination.

Quand il eut maîtrisé tout à fait sa nouvelle chaîne, Howard enregistra sa première cassette. Un soir, après dîner, il invita sa femme à le suivre dans son studio, au sous-sol de la maison. Il s'assura qu'elle était bien installée, lui proposa un coussin pour son dos puis alla chercher Big. L'animal, qui entrait dans cette pièce pour la première fois, se mit à en renifler chaque coin.

– Couché, Big !

Il alluma la stéréo, s'assit sur un bout d'accoudoir, guettant d'un regard inquiet la réaction de Caroll. Quinze longues secondes plus tard, aucun son n'était sorti des enceintes. Howard se leva et alla manipuler quelques boutons de la chaîne. Caroll patientait, les mains croisées sur son ventre en agitant son pied devant elle. Big était allongé de tout son long, mais suivait des yeux les moindres gestes de son maître.

– Je ne comprends pas ! Ça fonctionnait très bien tout à l'heure !

– Ce n'est pas grave, Howard, ce sera pour la prochaine fois.

– Attends une minute, ça va marcher. Il n'y a pas de raison !

Caroll se leva, caressa la joue de son mari et sortit.

Quelques minutes plus tard, sans qu'il comprît d'où venait la panne, la chaîne fonctionna de nouveau, et les enceintes crachèrent en vibrant, la merveilleuse voix de ténor d'Howard interprétant un extrait de *Don Giovanni*.

Il renonça toutefois à rappeler Caroll, et écouta sa cassette avec Big.

Howard passait de plus en plus de temps dans sa pièce à s'amuser avec son nouveau jouet.

– J'ai déjà dix cassettes ! lança-t-il, non sans fierté, un matin, à la table du petit déjeuner.

– C'est bien. Et quand tu en auras cent, tu feras quoi ? lança Caroll. Un jour, il faudra renoncer à cette lubie, Howard.

Howard plongea son regard dans le fond de sa tasse à café. Enfant déjà, il n'avait jamais su quoi répondre aux sarcasmes.

Il avait pensé à l'attaque de Caroll toute la journée, dans sa droguerie, pendant qu'il alignait les pots de peinture, flacons de dissolvants et autres articles du genre, sur les rayonnages. Elle n'avait pas tort. Les premières cassettes prenaient déjà la poussière sur les étagères.

Quand il rentra du magasin, sa résolution était prise : il ne serait plus jamais question d'opéra. Il allait tout balancer à la poubelle.

Il l'annonça à Caroll et célébra l'événement en décapsulant deux bières bien fraîches avant le dîner. Il voulait la boire dans le jardin, dans la douceur de cette soirée de printemps, mais Caroll préféra rester dans la cuisine. Plusieurs fois, au cours du dîner,

Howard avait tenté d'aborder le sujet, quêtant en vain soutien et félicitations.

— Je pense à quelque chose, hasarda-t-il. Au lieu de les jeter, je pourrais envoyer mes enregistrements à des maisons de disques, des directeurs d'opéra, qu'est-ce que je risque ?

— D'être ridicule, Howard. Tu as fini ?

— Oui, merci. C'était délicieux.

Howard aida sa femme à débarrasser et attendit, jusqu'à la dernière seconde, un signe de sa part.

Résigné, il gagna sa pièce et jeta dans un grand sac ses enregistrements, ses disques et les photos de ténors et cantatrices célèbres affichées aux murs. Ainsi vidée de sa substance, son petit studio d'enregistrement lui parut aussi lugubre que le réduit de sa droguerie.

Toutefois, il avait pris soin de garder une cassette. Une seule. Après de longues minutes de réflexion, et quelques coups d'œil à la porte, Howard s'installa à son bureau et rédigea une lettre. Il la glissa, avec la cassette dans une enveloppe Kraft qu'il fourra sous sa chemise. Il remonta à l'étage, les pommettes un peu rougies par l'effort et la gêne, traînant derrière lui le gros sac plein de ses reliques.

Caroll était dans le canapé du salon et regardait un film à la télévision.

— Je vais jeter ça, dit-il en passant juste la tête par l'embrasure de la porte.

Howard, accompagné de Big, déposa le sac

devant son allée et au lieu de rentrer, continua son chemin sur quelques mètres. De temps à autre, il se retournait, vérifiait qu'on ne l'avait pas suivi. Il s'arrêta devant une boîte aux lettres publique, guetta les alentours, sortit son enveloppe de sous sa chemise et la jeta dans la boîte.

Pendant deux semaines, Howard ne mit plus les pieds dans sa pièce. Ce furent deux semaines merveilleuses, ou presque. Depuis longtemps, il ne s'était senti aussi proche de sa femme et se félicitait chaque jour de son choix même si, au cours de cette période, il ressentait une légère anxiété lorsque Caroll revenait du jardin, le courrier dans les mains.

Mais c'est un soir, à son retour du magasin, qu'il trouva la réponse tant espérée. L'enveloppe était ouverte et posée en évidence, comme un reproche, sur la desserte de l'entrée. La lettre disait en substance que la qualité médiocre de l'enregistrement (Howard émit un grognement indigné) retransmettait assez mal l'ampleur de sa voix, mais que la tessiture néanmoins semblait intéressante. On lui proposait de passer une audition au théâtre de Chicago quelques jours plus tard. Il s'agissait de remplacer un choriste dans *Le Retour d'Ulysse dans sa patrie*.

Howard avait relu sa lettre plusieurs fois, puis il avait rejoint Caroll, occupée à planter des bulbes au pied du rhododendron malingre.

Howard était assis sur les marches de la véranda,

la lettre à la main, Caroll à genoux sur la pelouse. Big était là aussi, allongé entre ses deux maîtres, attentif à la conversation. Ses oreilles frémissaient au moindre changement d'intonation.

— Je n'ai pas très envie d'en parler, Howard. Fais ce que tu veux. En fait, je pensais que tu avais abandonné cette idée... mais bon, tu as fait les choses dans mon dos... Moi, ce que je ne comprends pas, c'est pourquoi ce rhododendron ne veut pas pousser. Tu as vu celui des Winicott ? Il arrive jusqu'aux fenêtres du premier étage !

— Ton jardin est merveilleux, chérie.

— Oh, merci, Howard ! C'est si gentil de dire ça.

Big remua la queue.

— Je le pense. Tu es une merveilleuse jardinière !

— Je préfère « paysagiste ».

— Une merveilleuse paysagiste. Notre jardin est le plus beau du quartier.

— Merci, chéri... Mais il y a ce rhododendron...

— Déterre-le, plantons-en un autre.

— Tu crois ?

— Oui. Nous irons choisir le plus beau chez ton pépiniériste. Je serais ravi de t'aider.

Caroll cessa de creuser, posa ses mains sur ses genoux et regarda son mari par-dessus son épaule.

— Howard... Arrête ce cirque, tu veux ?

Les oreilles de Big se dressèrent.

— Vas-y, passe cette audition, puisque tu y tiens

tant, reprit-elle en grattant une traînée de terre sur son pantalon. Au moins tu seras fixé.
Howard pinça les lèvres pour retenir son sourire.
Big remua la queue.

Quinze jours plus tard, Howard, au volant de son Oldsmobile mauve, roula près de trois heures pour se rendre au théâtre Helley de Chicago, où avait lieu son audition.
Une fois en ville, il s'arrêta plusieurs fois pour demander son chemin, et s'excusa, honteux, lorsqu'un vieil homme lui indiqua le théâtre, là, juste derrière lui.
Une femme en blouse balayait le sol marbré du hall. Il la salua d'un sourire timide et se dirigea vers les portes de l'amphithéâtre percées de hublots. Il s'en approcha et vit, sur scène, un type chanter un extrait du premier acte du *Retour d'Ulysse dans sa patrie* devant une dizaine de personnes.
Une jeune femme passa rapidement devant le hublot. L'instant d'après, son visage s'y encadrait. De l'autre côté, Howard lui adressa un sourire stupide.
— Bonjour! fit-elle en ouvrant la porte. Vous êtes?
— Howard Austeen.
— Et vous venez pour...?
— En fait, j'ai reçu une lettre pour une audition, dit-il en tendant sa lettre à la jeune femme.
— OK! C'est moi qui vous l'ai envoyée. Je suis

Sarah Hodes, je travaille pour M. Gresfall, le metteur en scène. Vous passez juste après.

Miss Hodes lui proposa de s'asseoir, mais Howard préféra rester debout, dans l'allée, au fond de la salle.

Il patienta un long moment. Son col de chemise était mouillé de sueur.

Son audition dura une vingtaine de minutes et le trac lui avait noué la gorge. Les lumières aveuglantes l'avaient déconcentré. Il n'y eut aucun commentaire dans la salle. Juste quelques échanges de regards, et Miss Hodes, qui prenait des notes. Howard voulait s'excuser, s'enfuir. Il tirait comme un gosse sur les pans de sa veste un peu trop grande en attendant qu'on lui permette de partir. Enfin, après quelques minutes, on lui posa quelques questions auxquelles il fut gêné de répondre. Non, en effet, il n'avait jamais participé à aucun opéra, et oui, il travaillait bien dans une droguerie à Champaign Urbana.

Miss Hodes remercia Howard. Quelle que soit l'issue de son audition, déclara-t-elle, il serait tenu au courant.

Howard regagna son Oldsmobile et resta un long moment assis sans bouger, les mains sur le volant.

Que pouvait-il espérer? Un petit rôle dans un chœur? Les railleries de certains, qui ne verraient en lui qu'un droguiste qui se rêve en ténor? Tout ça n'était plus de son âge. Tenir sa droguerie n'était pas l'activité la plus exaltante au monde, mais elle était sans risques et lui avait permis de se payer une jolie petite maison. Il aimait sa femme, et sa femme l'aimait. Et son chien était le plus formidable des chiens.

Le chemin du retour lui sembla bien plus long. Aussi long, pensait-il, que celui d'Ulysse pour Ithaque. Et Howard se réconfortait en pensant à son épouse, patiente Pénélope dans son royaume de bulbes et de rhododendrons.

Caroll préparait la marinade pour le barbecue. Howard était assis devant la table de la cuisine et jouait machinalement avec les pots de condiments qu'elle avait posés devant lui.

– Je suis contente que tu le prennes comme ça, déclara-t-elle.

– Au moins j'aurai essayé.

– Mais oui ! C'est ce qui compte, chéri. Veux-tu bien me passer le vinaigre, je te prie.

Après s'être brossé les dents, Howard s'assit sur le rebord de la baignoire et pleura en silence. De son côté Caroll se régalait avec le numéro spécial hors série de *Jardins de l'Illinois*.

Le lendemain matin, dans le bus qui le conduisait à la droguerie, dans le centre-ville, Howard se dit que, cette fois, il allait jeter tout son matériel hi-fi.

Lorsqu'il rentra du travail, il trouva Caroll dans le garage en train de mélanger de l'eau à de l'engrais dans un arrosoir. Il l'embrassa et lui tendit un petit paquet enrubanné, gros comme une boîte d'allumettes.

– Oh, un cadeau ! C'est pour quoi ? Pour me faire avaler la pilule ?

– Quelle pilule ?

Elle ôta ses gants de caoutchouc et ouvrit le petit paquet qui contenait un délicat bracelet plaqué or.

– C'est ravissant, Howard. Fallait pas. Merci.

– Chérie, quelle pilule ?

Elle remit le bracelet dans sa boîte et la glissa dans sa poche. Elle renfila ses gants et sortit du garage avec son arrosoir. Howard la suivit. Big était allongé sur le dos, les pattes en l'air, un canard en plastique dans la gueule, et regardait son maître en remuant la queue. Caroll arrosa le pied du rhododendron.

– Je ne comprends pas. Regarde-moi ça ! Les feuilles sont toutes jaunes…

Howard était derrière sa femme et attendait, sans oser la questionner de nouveau, qu'elle veuille bien lui répondre. Caroll lui jeta un œil impatient par-dessus son épaule.

– Une femme a appelé pour toi. Elle a parlé de ton audition d'hier et ils veulent t'en faire passer une autre.

– Une autre ?

– Oui, ben ne m'en demande pas trop, hein. Elle a laissé un numéro. Il doit être près du téléphone dans l'entrée.

Howard n'avait qu'une envie : courir jusqu'au téléphone et appeler. Il enfonça les poings dans les poches de son pantalon et, du bout du pied, tassa une motte de terre.

– Qu'est-ce que tu fais ? demanda Caroll.

– Ben… rien !

– Va donc appeler au lieu d'abîmer ma pelouse.

Howard attendit encore quelques secondes, puis rentra, réfrénant toute hâte. Il s'arrêta même en chemin pour ramasser une feuille morte. Il se retourna, et Caroll, qui l'observait, haussa les épaules.

Quelques minutes après, Howard, bouleversé, raccrocha. Il rejoignit sa femme dans le jardin en s'efforçant, là encore, de cacher son émotion.

– Alors ? Qu'est-ce qu'elle voulait ?

– En fait, ils veulent me refaire passer une audition. Ils disent que j'ai une voix exceptionnelle.

– Ah bon ? Et donc ?

– Ben… Je ne sais pas… Ils veulent que je revienne demain après-midi.

– Ça veut dire que la droguerie sera fermée demain aussi ?

– Je peux demander à Earl de me remplacer.

Fais comme tu veux, Howard, lâcha-t-elle en s'éloignant vers le garage avec son arrosoir.

L'audition dura plus d'une heure. Gressfall, le metteur en scène, lui fit recommencer encore et encore. Ce n'était pas parce qu'Howard était mauvais, bien au contraire. Howard était si bon, que Gressfall voulait s'assurer que cela ne tenait pas d'un miracle ou d'un coup de chance.

À son retour, Howard rangea la voiture devant la maison, et attendit quelques secondes avant d'en sortir. Il se disait qu'il s'était peut-être un peu trop avancé en répondant que, oui, il était bien disponible pour les cinq semaines à venir. Il y avait trois semaines de répétitions et deux de représentations.

Maintenant, il fallait en parler à Caroll. Et ce trac qui lui avait opprimé les poumons quelques heures plus tôt, seul sur scène devant une douzaine de personnes, n'était rien comparé à celui qu'il ressentait maintenant, à l'idée de cette confrontation.

Toutes les lumières de la maison étaient éteintes, excepté celle de l'entrée, et celle de la chambre à l'étage. Mais il était plus de dix heures. Avec un peu de chance, Caroll s'était endormie.

— Eh bien! Je commençais à m'inquiéter, dit-elle, reposant son magazine sur le drap quand Howard, qui avait pourtant pris toutes les précautions pour faire le moins de bruit possible, entra dans la chambre.

— Excuse-moi, chérie, dit-il en venant s'asseoir sur le lit. C'est loin, tu sais, trois heures de route.

— Alors?

— Alors je suis engagé.

Howard attendait la réaction de Caroll avant de

pouvoir montrer la sienne. Elle croisa les mains sur son ventre et fixa le mur de la chambre.

– Tu es content?

Howard hésitait à répondre.

– Oui, quand même!

– Tu vas y aller?

– Je ne sais pas.

Une semaine plus tard, par un après-midi pluvieux, Howard monta à bord du train pour Chicago. À son arrivée à la gare, un type l'attendait avec une pancarte au nom d'Howard Austeen. Howard jeta un œil autour de lui, comme pour s'assurer qu'il ne s'agissait pas d'un autre Howard Austeen, puis vint se présenter au type à la pancarte. L'homme le conduisit jusqu'à l'hôtel où était logée une partie du chœur.

Dès les premiers jours, Rachel Loyd, une jeune femme, choriste elle aussi, se rapprocha de lui. Elle avait une trentaine d'années. Elle était toujours gaie et se comportait comme s'il était écrit qu'il ne se passerait jamais rien d'ambigu entre eux. Cette attitude franche et décomplexée le séduisit d'abord, puis le contraria.

Un soir, voyant Howard seul au bar de l'hôtel devant un bourbon, Rachel vint le rejoindre.

– S'il vous plaît! lança-t-elle au barman. Un gin tonic. Ça ne t'ennuie pas que je t'accompagne? Je suis allée voir *Rosemary's Baby*, dit-elle. Bouh ! Moi qui songeais à avoir des enfants… Tu en as, toi ?

— Non, on n'a jamais réussi à en avoir jusqu'à maintenant.

— Ta femme va venir te voir à la première ?

— Je ne sais pas… Elle n'est pas très contente que je sois parti.

— Hmm, je sais ce que c'est. Depuis que j'ai commencé le chant, les tournées et le reste, j'ai rencontré cinq hommes, et je me suis séparée cinq fois.

— Et là, en ce moment, tu es célibataire ?

— Eh oui ! À nous, à nos amours ! clama-t-elle en faisant tinter son verre contre celui d'Howard.

Howard ne trouvait pas grand-chose d'intéressant à dire. Rachel lui plaisait tant. Elle était si agréable à regarder, si agréable à entendre. Elle souriait sans cesse. Elle lui semblait la personne la plus douce, la plus drôle et la plus charmante du monde. Howard pensa, à ce moment précis, qu'il était en train de passer à une autre étape de sa vie. Il était avec une jolie femme, la plus jolie qu'il ait jamais approchée en tout cas, assis au bar d'un hôtel agréable avec moquette fleurie, reproductions aux murs et lumières feutrées. C'était comme s'il venait d'être promu à un poste supérieur. Et il aimait bien ce nouveau poste. Il se sentait sous-qualifié, mais plein d'un nouvel allant.

Rachel montra un signe de fatigue et il lui proposa un deuxième verre. Elle refusa, l'embrassa sur la joue, et entra à reculons dans l'ascenseur en lui envoyant un baiser du bout des doigts.

Howard lui retourna la politesse et attendit que les portes se referment pour reposer sa main sur le comptoir. Il but une dernière gorgée, baissa les yeux sur sa montre et regagna sa chambre pour appeler sa femme :

C'est moi !

— Bonjour.

— J'espère que tu vas venir me voir, hein ?

— ...

— Tu me manques, chérie.

— ...

— Tu viendras, n'est-ce pas ?

— ...

— Bon, je te laisse. Ça m'a fait plaisir de t'entendre. Le jardin est-il toujours aussi merveilleux ?

— Il faut que j'y aille, Howard.

— D'accord. Alors au revoir, chérie. Je t'aime.

Le lendemain matin, il rejoignit Rachel et les autres membres du chœur dans la salle du petit déjeuner. Chacun échangeait ses sentiments sur le grand moment de la première qui approchait. En bout de table, Rachel discutait avec un type en jouant avec une mèche de ses cheveux. Elle avait à peine salué Howard d'un clin d'œil, et s'était aussitôt retournée vers ce type.

Howard aurait bien aimé participer à la conversation du groupe, mais les échanges étaient trop passionnés, les répliques fusaient trop vite pour lui. Il n'était pas aguerri à ce genre de chose. Plus que jamais, Howard mesurait le décalage entre lui et les autres. Il s'excusa et quitta la table pour appeler Caroll. Il laissa sonner un long moment mais en vain.

Ce soir-là, Howard était allongé en caleçon sur son lit défait et grignotait des noix de cajou en regardant la télévision. On frappa à sa porte. Il enfila un pantalon et alla ouvrir.

— Je ne te dérange pas ? demanda Rachel.

— Pas du tout, entre.

Il ramassa ses vêtements qu'il avait jetés en vrac sur son lit et aussi les boîtes vides de noix de cajou, les sachets de chips, les emballages de sucreries et autres déchets sur la table de nuit.

— J'ai besoin de parler à quelqu'un de normal, dit-elle en venant s'asseoir sur le lit.

Howard souriait, mais l'expression résonnait douloureusement à son oreille.

Ils avaient parlé longtemps et bu pas mal, étendus sur le lit. Et puis Rachel avait posé sa tête sur son épaule. Howard s'était raidi.

— Ça te dérange ? demanda-t-elle.

— Non ! Pas du tout !

L'instant d'après, Rachel, sans cesser de parler,

glissait sa main sur le torse d'Howard qui s'efforçait de ne rien remarquer. Comme si tout cela était naturel et lui arrivait fréquemment. En revanche, il lui fut plus difficile de cacher son trouble quand elle se pencha sur lui pour l'embrasser et lui déboutonner sa chemise, puis son pantalon. Howard se montra un amant persévérant mais trop émotif.

Rachel essaya de le rassurer et lui témoigna plus de tendresse qu'il n'en avait reçu en dix-sept ans de mariage.

Il mit longtemps à s'endormir. Il n'osait pas bouger et à peine respirer de peur de réveiller Rachel, la main posée sur son ventre qu'il s'appliquait à rentrer.

Souvent, ils dînaient ensemble, dans un quartier assez éloigné de l'hôtel pour ne pas risquer de croiser quelqu'un du groupe.

Rachel s'amusait à jouer l'épouse normale d'un homme normal. Malgré les dix ans qui les séparaient, leur manifeste dissonance physique, leurs univers opposés et leur rencontre récente, le couple qu'ils formaient semblait évident et inébranlable. Jusqu'au jour où Rachel lui demanda s'il l'aimait. Ils venaient de faire l'amour – ce qui posait toujours un problème à Howard sans qu'il sût vraiment s'en expliquer la raison. La culpabilité, la nouveauté, la timidité sans doute.

– Je suis marié, lui sourit-il.

Il s'ensuivit un long silence qu'Howard interrompit en allumant la télé.

Le jour de la première, Howard avait tenté de joindre Caroll une vingtaine de fois. De son réveil jusqu'à la dernière minute, avant de s'installer dans le décor en habit de Phéacien, derrière les rideaux encore fermés. Mais elle n'avait pas décroché. D'ailleurs, elle ne décrochait plus depuis un moment.

Encore quelques secondes de concentration. Quelques secondes avant que les derniers chuchotements ne se taisent. Le col de son habit était déjà trempé de sueur. Rachel était dans les coulisses, dans sa tunique d'esprit céleste, le rôle qu'elle tenait dans le chœur des femmes.

Ce n'était pas encore son tour. Elle faisait des signes d'encouragement à Howard. Il détestait qu'elle soit là, témoin de sa détresse, et lui répondait par des sourires forcés.

Enfin, la première mesure annonça l'ouverture. Trac et désarroi avaient disparu ; il n'était plus Howard, droguiste à Champaign Urbana lâché par sa femme, mais phéacien et marin, ramenant Ulysse à Ithaque.

Il lui fallut un moment, bien après l'ovation du public, pour recouvrer ses esprits. Après la représentation, il dîna avec d'autres choristes dans un restaurant proche du théâtre. Ils étaient une vingtaine à table. Howard, pour la première fois, se sentait à sa place, et partageait avec eux la même euphorie. Mais par moments, l'idée de rentrer seul dans sa chambre venait lui gâcher son plaisir. Quelqu'un lui manquait et il ne savait dire s'il s'agissait de Caroll ou de Rachel, dînant de son côté avec quelques proches.

Plus tard, quand elle le rejoignit dans sa chambre, l'absence de sa femme lui devint moins douloureuse.

Rachel s'excusa. Elle avait un peu trop bu. Elle avait besoin de dormir avec lui, lui avait-elle dit. Elle avait besoin de réconfort. Lui aussi, après tout. Alors Howard l'enveloppa de ses bras, elle posa la tête au creux de son épaule et elle s'endormit presque aussitôt. Howard prit toutes les précautions du monde pour ne pas la réveiller quand il dégagea son bras.

Il la regardait dormir. Elle avait la peau fine, les traits délicats. Il trouvait son nez ravissant, et la courbe de ses pommettes, remarquable, parfaite. Lui ne se trouvait rien d'admirable. Il était pire que normal, pire que banal ou insipide. Il était moche, un peu trop gros, et un peu trop petit. Avec Caroll, et dans sa vie d'avant, cela ne l'avait jamais perturbé. Avec Rachel, cela devenait une évidence.

Lorsqu'il ouvrit les yeux, le lendemain matin, elle était en train de le regarder. De regarder son nez, plus particulièrement.

— Tu as un poil qui pousse sur le bout du nez, dit-elle, amusée.

— Je vais l'enlever, dit-il en passant sa main dessus.

Howard voulait se lever, s'habiller, et, surtout, se soustraire à cet examen éprouvant. Il ne voulait pas qu'elle le voie, en caleçon, dans la lumière crue du matin.

— Je voudrais m'habiller, lâcha-t-il dans une tentative, ratée, de sourire.

Rachel le regarda, incrédule, puis se leva et sortit.

Quelques jours plus tard, il reçut une longue lettre de Caroll lui annonçant qu'elle souhaitait divorcer. Dans la lettre, elle disait qu'elle avait dîné avec son pépiniériste. Un certain Paul Hamson. Elle n'entreprendrait rien avec lui, bien entendu, tant que le divorce ne serait pas prononcé. Elle espérait qu'il se montrerait compréhensif, d'autant plus qu'il était responsable de cette situation.

Howard ne comprenait pas comment un homme pouvait se montrer compréhensif alors que sa femme, celle avec qui il vivait depuis dix-sept ans, demandait subitement le divorce pour un marchand de bulbes.

Il fit sa valise, vérifia, une dernière fois qu'il n'avait rien oublié dans la salle de bains, dans les tiroirs, puis, calmé par ses diverses allées et venues, s'assit sur le rebord du lit et téléphona à Caroll.

Sa voix, quand elle décrocha, lui parut infiniment plus douce que celle de tous les esprits célestes du monde. Mais aussi plus lointaine, et petit à petit, bien plus froide, plus sèche. Caroll était désolée, mais elle ne reviendrait pas sur sa décision.

Au début, il avait essayé de se défendre, mais elle lui coupait la parole sans arrêt. Howard ne pouvait plus en placer une. Il finit par se taire, l'écoutant à peine.

Howard s'endormit tout habillé. Sa valise posée à côté de lui, sur le lit.

Malgré cela, Howard continuait à donner le meilleur de lui-même sur scène, jusqu'à la dernière représentation. Il ne dit rien de son divorce à Rachel, avec laquelle il entretenait une relation de plus en plus distendue. Oh, il adorait toujours sa compagnie, mais l'image de Caroll venait planer au-dessus du lit, chaque fois qu'il s'y trouvait avec Rachel.

Il ne faisait plus l'amour avec sa femme depuis longtemps, par manque de désir mutuel d'ailleurs, mais il connaissait son corps par cœur. La texture de sa peau, son odeur, ses défauts. Rachel en avait très peu, de défauts. Et sa peau était plus dense, plus ferme. Mais c'était à celle de sa femme qu'il pensait. À son odeur de savon et de crème de nuit, vaguement écœurante, d'ailleurs.

Ses pensées finissaient toujours par se dissiper, mais son désir pour Rachel aussi.

Et puis, il savait cette histoire perdue d'avance. Tôt ou tard elle découvrirait qui il était réellement : un type pire que normal, laid, trop petit, trop gros,

qui porte des pantoufles le matin. Et ce malen-
tendu le fatiguait : il n'avait ni l'envie ni la capacité
de prétendre être ce qu'il n'était pas.

Il faisait de moins en moins d'efforts, ne rentrait
plus le ventre, par exemple, quand il se déshabillait
devant elle.

Le dernier soir, le soir du final, l'idée d'une sépa-
ration raviva ses sentiments pour Rachel. L'idée de
la quitter et de se retrouver seul l'angoissait.
Comme ils devaient tous deux aller à New York,
lui pour y passer une audition, elle, parce qu'elle y
vivait, Rachel lui proposa de loger chez elle, plutôt
qu'à l'hôtel, le temps qu'il lui plairait.

Elle habitait un petit deux-pièces sur Madison,
dans le bas de la ville. La plupart des meubles, elle
les avait chinés dans des brocantes. Et comme le
constata Howard avec perplexité, elle vivait beaucoup au ras du sol, et les tapis avaient été choisis en
conséquence.

– C'est de la chèvre de Mongolie, lui avait-elle
dit, alors qu'il hésitait à marcher sur le tapis aux
longs poils blancs.

De nombreux poufs en cuir et coussins entou-
raient la table basse où Rachel avait l'habitude de
prendre ses repas.

Et des disques, des murs entiers de disques de

musique classique et d'opéras recouvraient les étagères de la pièce.

Ils avaient tous deux conscience de franchir une
étape dans leur relation même si aucun n'osait aborder le sujet.

Rachel était d'une compagnie agréable, et le quo-
tidien avec elle s'avérait joyeux et sans contraintes.

Le seul problème, c'étaient ses amis. Rachel rece
vait souvent. Ils étaient sympathiques, passionnés,
eux aussi, d'opéra, mais Howard s'habituait mal à
cette vie communautaire. Ils se retrouvaient parfois
à quinze, assis sur les coussins ou agenouillés sur le
tapis de Mongolie autour de la table, à boire, fumer
de l'herbe pour certains, la pipe pour d'autre, et
discuter jusqu'au milieu de la nuit dans le salon
enfumé.

Un matin, Howard fit ses valises et quitta l'appartement. Il laissa un mot à Rachel, expliquant
quelle femme extraordinaire elle était, et qu'il lui
souhaitait de rencontrer un homme qui la mérite.

Rachel n'en conçut pas un énorme chagrin ; elle
ne s'était jamais fait beaucoup d'illusions sur leur
avenir commun.

Deux années passèrent sans qu'elle eût de ses
nouvelles.

Entre-temps, sa vie avait changé : elle avait cessé
le chant et emménagé avec son mari, un jeune

dentiste, et leur bébé dans une banlieue tranquille. Sa passion pour sa nouvelle famille avait remplacé celle pour l'opéra. Ses amis n'étaient plus des fumeurs de haschich et de pipes malodorantes, mais des femmes de dentistes dont le principal sujet de conversation était l'éducation des enfants.

Et puis un matin, au petit déjeuner, elle tomba sur un article dans les pages culturelles du *Washington Post*, intitulé « Miracle dans l'Illinois » qui retraçait le parcours d'Howard le droguiste devenu, selon le critique, le « Dieu du contre-*ut* ».

Rachel s'attarda longuement sur la photo qui accompagnait l'article. On y voyait un Howard aminci dans son smoking, un sourire un peu crispé aux lèvres, devant l'opéra de Chicago, « là où le petit droguiste avait débuté sa carrière », comme l'indiquait la légende.

Comme celle de Rachel, la vie d'Howard avait connu quelques changements. Il était devenu un ténor admiré par le public même s'il n'avait pas encore à cette époque convaincu ses pairs qui jugeaient avec mépris son parcours peu orthodoxe.

Ses rapports avec Caroll s'étaient considérablement améliorés. Elle s'était installée avec Paul Hamson, son pépiniériste, et pouvait s'enorgueillir de posséder le plus beau jardin de l'Illinois. Un rhododendron de près de trois mètres déployait ses fleurs magenta au beau milieu d'un parterre de tulipes aux pétales blancs striés de vert pâle. Des jacinthes bleues dessinaient un « bienvenue » à l'entrée de la maison. Caroll avait le sourire aux lèvres chaque fois qu'elle passait dans son jardin.

Big avait grossi et continuait de guetter son maître à l'entrée du jardin.

Howard n'habitait nulle part, ou plutôt, partout, changeant d'hôtels au gré de ses tournées.

À Paris, dans une chambre du Ritz, Howard, en queue-de-pie, peinait à attacher son nœud papillon, le téléphone coincé contre son épaule.

Il n'avait plus grand-chose du petit droguiste. Il avait perdu quelques kilos et semblait prendre soin de lui, de ses cheveux qu'il plaquait en arrière à grand renfort de brillantine, de son teint, encore hâlé d'un séjour en Sicile. Mais le véritable change-ment était ailleurs. Howard n'avait plus, dans la voix ni le regard, cette crainte, cette réserve excessive qui l'avait habité depuis toujours.

— Trois mètres de haut, dis-tu ? Bon sang, vous avez dû mettre un sacré engrais !

— C'est un mélange de terreau et de fumier, Paul m'en rapporte des sacs entiers.

— Sacrée veinarde !

— Comment va Patrick ?

— Philipp ? Bien ! Très bien ! Caroll, je pourrais te rappeler un peu plus tard ? Je suis censé être sur scène dans moins d'une heure et je suis toujours en train de m'habiller.

Il raccrocha et se baissa pour prendre une boîte de noix de cajou dans le réfrigérateur.

Un homme, lui aussi en queue-de-pie, sortit de la salle de bains en se passant un peigne dans les cheveux. Il devait avoir le même âge qu'Howard et affichait la même silhouette trapue. Il portait une moustache et un bouc taillé court. Il s'approcha d'Howard, lui attacha son nœud papillon et lui confisqua sa boîte de noix de cajou.

Howard lui jeta un regard offensé :

— J'en ai besoin ! Ça m'aide à calmer mon trac.

— Prends des bâtons de fenouil.

— Le fenouil ne calme pas mon trac. Comment je suis ?

— Superbe ! Tu es superbe et merveilleux, et je t'aime, d'accord ?

L'homme déposa un bref baiser sur les lèvres d'Howard, alla chercher son manteau, aida Howard à enfiler le sien et les deux hommes quittèrent la chambre.

Cary et Sam Russell

En 1950, Sam Russel, colosse roux au regard limpide, demanda la main de Cary, l'aînée des Huston, propriétaires d'un des plus grands ranchs d'Arizona, situé dans les plaines herbeuses au sud de Tucson.

Sam n'était qu'un petit éleveur. Sa ferme, à l'époque faite de tôle et de bois, était à peine plus grande que le poulailler des Huston mais suffisait à fournir en viande de premier choix les trois restaurants d'Abbeltown et même un grill réputé de Tucson.

Sam possédait cependant des terres de plusieurs milliers d'hectares héritées d'un arrière-arrière-grand-père. On se les léguait depuis plusieurs générations sans leur trouver une quelconque utilité. C'était une terre sèche sous laquelle, selon la rumeur, dormait l'un des plus beaux gisements de charbon de l'État. Pourtant, personne n'en avait encore vu la trace.

À bientôt vingt-cinq ans, Cary n'était toujours pas casée. Enfin, elle l'était avec Sam, mais pour les parents Huston, ça ne comptait pas. C'était un caprice, une lubie qui devait cesser au plus vite. Mais force leur était de constater que Cary n'avait rencontré personne d'autre et que personne d'autre ne témoignait un grand intérêt pour leur fille aînée. Enfin si, un vague cousin, assez laid, un peu débile, mais futur héritier d'une belle exploitation pétrolière. Lorsqu'il fit sa demande, le père Huston approuva d'un grand « oui » sonore et enthousiaste, absolument ravi de cette alliance. Mais les larmes de Cary, et surtout sa grève de la faim, le persuadèrent de chercher le bonheur de sa fille plutôt que sa fortune.

Cary n'était pas une très jolie fille. Des yeux trop grands, trop éloignés, légèrement exorbités et un nez trop long pour un trop petit visage. Elle donnait le sentiment d'avoir raté son tour à la distribution des prix et de s'être fait refiler les attributs de quelqu'un de beaucoup plus grand.

Cary n'avait encore jamais inspiré l'amour à aucun homme, et, en réalité, n'avait jamais ressenti non plus ce sentiment décrit mille fois dans les romans français qu'elle aimait lire.

Ils s'étaient rencontrés à la poste d'Abbeltown, la ville la plus proche de leur ranch. Sam était venu chercher un colis contenant un tas de documentations sur les firmes pétrolières que son frère avocat lui avait envoyé de Chicago. Comme à chacun de ses déplacements en ville, il s'était mis sur son trente et un : sa chemise la plus blanche, amidonnée plus que nécessaire, son costume gris foncé, taillé dans un drap de laine épais et rugueux et des chaussures noires, bien cirées mais trop petites. Sam supportait ces contraintes, persuadé que l'inconfort d'un vêtement en garantissait l'élégance. Seulement cette belle théorie, valable pour les femmes corsetées et les Chinoises aux pieds meurtris, donnait sur lui un piètre résultat ; irrité par le tissu, il se grattait l'entrejambe toutes les cinq minutes et donnait une ruade vers l'avant tous les trois pas pour dégager ses orteils de l'étau de cuir.

Cary, quant à elle, était venue chercher des romans que lui envoyait de Phoenix une amie libraire. Elle lisait presque un livre par jour. Et, rapidement, les petites librairies des environs ne lui suffisaient plus.

Quand le guichetier de la poste posa l'énorme paquet sur le comptoir, Cary poussa un petit cri :

– Hiiiii ! Seigneur ! Comment vais-je porter tout ça !

Elle se retourna comme si une cohorte de domestiques allait lui venir en aide. Derrière elle se trouvait Sam qui la dépassait d'un pied cinq pouces.

— Si vous attendez deux minutes, je pourrai vous aider, lui proposa-t-il.

Cary se poussa sur le côté et patienta. Pas même l'esquisse d'un sourire ni l'ombre d'un merci.

Sam lui jetait de brefs coups d'œil tandis que le guichetier cherchait son colis.

Sam n'avait pas une grande connaissance des femmes. Peut-être pour cette raison, celle qu'il avait sous les yeux lui semblait représenter LA femme. Son parfum, sa blondeur, la blancheur de sa robe, le rose de ses joues, ses mains fines et soignées... Voilà, elle possédait toute la panoplie qui fait dire à un enfant que la dame est jolie. Les enfants aiment l'harmonie, et en vérité, l'ensemble était assez harmonieux si vous ne preniez pas le temps de trop détailler. Un nez trop long et des yeux un peu exorbités n'étaient pas faits pour déranger Sam.

Il récupéra son paquet et celui de Cary.

Elle le précéda jusqu'à l'extérieur et s'arrêta devant une grosse Chrysler Windsor garée à l'entrée du bâtiment. Elle ouvrit la portière, prit un des colis que tenait Sam et le posa sur le siège avant.

— Bon, eh bien, merci.

Ils restèrent un instant l'un en face de l'autre, le temps qu'il fallut à Sam pour tomber amoureux et à Cary pour se rendre compte qu'elle était en train de parler à un homme probablement stupide, pauvre et fruste.

Elle lui adressa un sourire pincé et alla s'installer

au volant de sa voiture. Sam s'approcha et posa le bras sur la portière restée ouverte.

– C'est une grosse voiture pour une petite dame comme vous !

Cary le toisa quelques secondes et jugea inutile de réagir.

Sam claqua la portière.

– Merci…, soupira-t-elle par la vitre ouverte avant de démarrer.

En s'éloignant, elle regarda une dernière fois dans le rétroviseur le cow-boy endimanché planté là, au milieu d'un nuage de poussière. Dès que la Chrysler fut suffisamment loin, Sam se gratta l'entrejambe.

Ce n'est qu'une fois rentrés chez eux qu'ils comprirent leur méprise. Au lieu de sa documentation sur les firmes pétrolières, Sam découvrit un tas de bouquins aux titres étranges, ainsi qu'une lettre les accompagnant.

Chère Cary,

Je crains qu'il n'y ait pas assez d'écrivains pour subvenir à tes besoins effrénés de lecture. En voici tout de même dix qui ont des chances de te plaire.

*Ma chérie, j'ai également une bien triste nouvelle à t'apprendre (deux, en réalité), à moins que tu ne le saches déjà : Margareth Mitchell est morte, un stupide accident de la route. Je me suis permis de t'envoyer un nouvel exemplaire d'*Autant en emporte le vent, *je sais que tu en possèdes déjà sept, mais celui-ci est signé de sa main !*

Je crains que la seconde ne te cause autant de peine mais j'espère qu'elle te fera cesser cette obsession qui t'empêche de t'intéresser aux autres hommes. Ma chère Cary, assieds-toi : Clark Gable s'est marié à Sylvia Ashley ! Oh, je ne doute pas un seul instant qu'il serait tombé follement amoureux de toi s'il t'avait rencontrée avant, seulement le destin en a décidé autrement. Je suis certaine qu'il y a des tas d'hommes fascinants autour de toi mais que tu refuses de voir ! Oublie donc le vieux Clarky et ouvre bien les yeux !

Bien à toi, ta meilleure amie qui t'aime.

De son côté, Cary, assise sur le bord de son lit, le dos légèrement voûté, les sourcils froncés, lisait la lettre adressée à Sam.

Samy,

Voici la liste que tu m'as demandée. Mais je t'en conjure, ne fais rien sans me consulter. Ces firmes sont très puissantes et pourraient t'avaler sans même que tu t'en aperçoives. J'ai parlé de tout cela à un ami, expert à la Petroleum Firm Fondation. Nous allons venir dans les prochaines semaines voir le terrain avec tout le matériel nécessaire. Dire qu'il aura fallu attendre près d'un siècle avant de s'occuper de cette terre qui va peut-être nous rendre, enfin, te rendre riche, puisqu'elle t'appartient pour la plus grande part ! Je compte quand même sur mes quinze pour cent espèce de foutu fermier. Tu me manques. Tes neveux aussi aimeraient te voir. Ils sont terribles, tu sais, peut-être vais-je te les envoyer quelques semaines afin que tu les dresses ! Je t'embrasse affectueusement.

Ton frère.

P.-S. : Quand te maries-tu ?

Cary sourit en se mordant la lèvre inférieure et rangea la lettre dans son enveloppe. Elle se leva du lit, se plaça devant la grande glace de l'armoire, et, fermant les yeux, embrassa son reflet.

– Je t'aime... Je t'aime tellement... murmurait-elle. Oh, mon amour... Je ne me lasserai jamais de te le dire.

Elle colla sa joue contre la surface froide de la glace, et demeura ainsi quelques instants, les yeux mi-clos, en extase. Enfin, elle s'en détacha, défroissa sa robe à coups de petits gestes secs, puis glissa sa main sous son matelas et en ressortit un petit cahier rose pâle qu'elle feuilleta en fredonnant.

Elle s'assit à son bureau, prit le crayon placé dans l'encoche sur le côté et écrivit :

Aujourd'hui, mardi 24 mai, j'ai rencontré un homme.

On pourrait le prendre pour une brute si ce n'était son regard d'enfant. Il était habillé de façon tout à fait grotesque. Ce doit être un vrai problème pour les gens modestes qui souhaitent s'habiller élégamment.

Je crois que je n'aurais pas pu supporter d'être pauvre. Ou j'aurais fait comme Scarlett, je me serais taillé des robes dans mes rideaux. Ceux de ma chambre conviendraient très bien pour une robe de cocktail. Ho, ho… minute ! Je ne pense pas que les pauvres aient d'aussi beaux rideaux de taffetas.

Je viens de lire une lettre qui lui était adressée et que j'ai récupérée par un malheureux quiproquo. Son frère semble l'adorer. Ce qui est bon signe. Je pense que des personnes d'une même famille qui savent garder de si bons rapports sont tout à fait estimables. C'est parfois tellement difficile de s'entendre avec ses proches ! Moi-même, j'ai souvent envie d'étrangler Liz et Anna ! Elles se conduisent comme des enfants gâtées.

En y repensant, il était assez bel homme. J'aimerais le revoir. J'aimerais l'embrasser et qu'il me serre dans ses bras en me soulevant de terre.

Cary mordit le bout de son stylo et referma son journal.

Sam avait reconstitué tant bien que mal le paquet de Cary qu'il avait ouvert à grands coups de canif. Il fouillait dans une pile de magazines poussiéreux posée au sol, près du poêle à bois. Il en saisit un qu'il feuilleta rapidement et trouva ce qu'il y cherchait ; la page où figurait une photo de Clark Gable. Il l'examina un moment, un sourcil relevé et un rictus aux lèvres, à la manière de l'acteur, et alla se regarder dans le miroir, au-dessus de l'évier de la cuisine.

Il retroussa ses manches, ouvrit le robinet et aspergea sa tignasse rousse. Il traça une raie sur le côté et peigna ses cheveux en prenant soin de bien les plaquer, tentant de reproduire la coiffure de Gable. Il s'estima satisfait du résultat et se découvrit, en tournant la tête de trois quarts et en l'inclinant d'une certaine façon, une certaine ressemblance avec l'acteur. Mais à peine avait-il posé le peigne que ses boucles se reformaient déjà.

Après de nombreux essais infructueux, Sam décida qu'il était vain de lutter contre sa nature. Il attrapa son Stetson accroché au clou sur le mur, l'enfonça sur son crâne, prit le colis de Cary rafistolé sous le bras, sortit et monta dans son pick-up.

Sur la route qui le conduisait à la ferme des Huston, il se remémorait la lettre : « … tes besoins effrénés de lecture… », et se dit que Cary pourrait bien avoir des besoins effrénés d'autre chose. Il lui arrivait d'avoir ce genre d'idée en tête, mais jamais cela n'était suscité par une femme en particulier, plutôt une créature imaginaire, composée de toutes celles qu'il avait croisées. Il rougit et sentit la racine de ses cheveux se dresser comme sous l'impulsion d'un courant électrique. Il secoua la tête, puis éclata de rire en cognant son volant.

Le ranch des Huston se déployait au milieu d'une plaine jaunie par l'éclosion printanière des pavots. Au loin, les montagnes piquées de sapins argentés, et, au-dessus, le ciel bleu vif, lumineux, sans un nuage, parfait.

De chaque côté de l'allée qui menait à la maison aux allures palladiennes, un troupeau de jeunes chevaux hennissaient d'excitation, se cabraient puis s'égayèrent comme une nuée d'étourneaux à l'approche du pick-up.

Sam gara la camionnette et rejoignit un groupe de femmes bavardant sous la varangue. Il s'approcha au plus près de la maison mais resta au bas des quatre marches qui montaient jusqu'au porche.

— Bonjour mesdames, c'est ici qu'habite Cary Huston ? demanda-t-il en ôtant son chapeau.

— C'est ma fille, répondit la plus âgée d'entre elles.

— Je crois qu'elle s'est trompée de paquet, ce matin à la poste.

— Vous croyez ou vous en êtes sûr ? demanda la mère, en levant à peine un œil de sa broderie.

— Ben… j'en suis plutôt sûr, il y a son nom et son adresse dessus, et comme moi je m'appelle Russell…

— C'est très gentil à vous de vous être déplacé, monsieur Russen. Posez-le ici, je le lui donnerai.

Sam déposa le colis au bas des marches aussi délicatement que s'il s'était agi d'une bombe. Il fit un pas en arrière et attendit en triturant les bords de son chapeau. Mme Huston leva vers lui un œil interrogateur.

– C'est-à-dire qu'elle doit avoir mon colis, dit Sam.

– Mais bien sûr! Marcia, pourriez-vous aller voir si Cary a le colis de M. Russen.

– Russell…, rectifia Sam. Mais ça n'a aucune importance, m'dame Huston!

La jeune domestique, assise sur un coussin au sol, posa le morceau d'étoffe qu'elle était en train de coudre, se leva et fila à l'intérieur de la maison.

– Vous avez une bien belle propriété, m'dame Huston! lâcha Sam.

Mme Huston le remercia et le jaugea d'un bref coup d'œil.

La jeune domestique revint avec le paquet et le donna à Sam.

Il remit son chapeau et jeta un dernier regard vers la maison, quand Cary apparut à la porte. Sam ôta à nouveau son chapeau et lui adressa son plus beau sourire.

La jeune femme traversa la varangue, descendit les marches, s'approcha suffisamment près de Sam, lui flanqua une gifle, puis tourna les talons.

– Ne t'inquiète pas, maman, tout va bien, dit-elle à sa mère qui se levait au moment où Cary montait les marches. Cette personne a lu ma lettre.

– Il devait penser que c'était la sienne, mon petit!

– Exactement! renchérit Sam, je croyais que c'était mon colis!

— Veuillez l'excuser, monsieur, dit Mme Huston qui détestait les exhibitions de ce genre.

— Il y a pas de problème, m'dame. Aucun souci, je lui en veux pas !

Il tendit la main, invitant Cary à venir la lui serrer.

Cary refusa d'abord, comme une enfant capricieuse, puis les coups de coude répétés de sa mère l'en convainquirent. Elle le rejoignit, à contrecœur, et, lèvres pincées et regard noir, mit la main dans la sienne.

— Jeudi prochain je retourne à la poste, murmura-t-il en secouant la petite main de Cary. J'y serai à quatre heures. Je vous attendrai devant. À quatre heures. Devant la poste. Jeudi.

Cary n'avait pas remarqué ces taches de rousseur la première fois. Ni le bleu clair de ses yeux. Et elle trouvait que l'habit de cow-boy, même taché, lui allait infiniment mieux que ses frusques du dimanche.

Elle retira brusquement sa main et rentra chez elle sans un mot, craignant que ses pommettes devenues tout à coup brûlantes ne l'aient trahie.

Cary était une personne impétueuse et susceptible. Être prise en flagrant délit de faiblesse la mettait hors d'elle. Était-il possible qu'il ait remarqué quelque chose ? Elle s'était montrée la plus froide et distante possible. Mais il se pouvait très bien qu'il ait pris cela pour une stratégie. Les hommes sont si tordus.

Oh, Seigneur ! Elle voulait le gifler. Une fois de plus.

Elle se détestait d'avoir été si stupide, d'avoir été si peu habile à cacher son émotion.

Mais de quelle émotion s'agissait-il au juste ? Dans aucun de ses romans, elle n'avait lu que « cela » rendait nerveux à ce point. Bien souvent, les symptômes étaient comparés à ceux d'une maladie ; apathie, fièvre, fatigue extrême, douleur dans le ventre, palpitations, nausées, vomissements même, mais jamais il n'était écrit que cela rendait d'aussi mauvaise humeur. Après tout, il ne s'agissait peut-être pas de « cela ».

Le jour du rendez-vous approchait et Cary avait décidé qu'elle n'irait pas. Il en était hors de question et l'idée même en était risible.

À présent, elle n'avait qu'une hâte, d'être à jeudi et d'aller au rendez-vous afin de lui dire qu'elle ne viendrait pas et lui flanquer la gifle qu'il méritait.

Jeudi arriva. Elle passa la matinée à choisir une tenue et ses nerfs faillirent lâcher plus d'une fois. Quand elle eut vidé toute sa penderie sur son lit, essayé ses dizaines de paires de chaussures, elle était déjà en retard de vingt minutes. Elle n'était encore ni coiffée, ni maquillée. Elle choisit à la hâte et par dépit un pantalon qu'elle jugea épouvantable, un chemisier banal, et enfila une paire de sandales blanches. Elle se trouva affreuse dans le miroir et pleurnicha en se coiffant et en se maquillant.

Pendant ce temps-là, sur le trottoir devant la poste, on pouvait voir un colosse roux, droit comme un I, attendre immobile sans montrer le moindre signe d'impatience, si ce n'était sa façon de tordre les bords de son Stetson.

Cary était arrivée depuis quelques minutes et l'observait, cachée derrière un arbre. Plusieurs fois, elle avait réfréné un rire moqueur, ou nerveux, elle ne savait pas trop. Elle guettait les alentours, craignant qu'une connaissance ne la voie. Elle songea à faire demi-tour et à rentrer chez elle, l'honneur sauf. Mais l'envie, le besoin même de le voir et de lui parler était bien plus fort que celui de préserver sa dignité, si toutefois celle-ci était en danger. Alors elle sortit de sa cachette, et se dirigea vers Sam d'un pas alerte, mais en regardant hypocritement de l'autre côté de la rue. Quand elle passa à sa hauteur, Sam la héla.

— Ho! Bonjour, monsieur! dit-elle sans s'arrêter.
Sam lui emboîta le pas.
— Hé! Vous allez où?
— Ça ne vous regarde pas!
— Et notre rendez-vous?
— Vous ne pensiez tout de même pas que j'allais venir! Ha!

Sam ralentit son allure et la laissa s'éloigner. Cary marchait d'un pas déterminé droit devant elle, sans savoir où elle allait. L'essentiel était qu'elle ne se retourne pas. Au bout de vingt mètres, elle se retourna. Sam était dix pas derrière elle.

— Vous me suivez ? s'indigna-t-elle.

— Je vais à ma voiture, elle est garée là-bas.

Cary, sans un mot, reprit son chemin. Sam aussi. Ils marchèrent ainsi quelques instants, l'un derrière l'autre avant que Cary ne s'arrête brusquement.

— C'est très pénible, vous savez ?

— Désolé, de toute façon, je suis arrivé. Je peux vous proposer un marché ? Revoyons-nous ici demain. Mais ne faites pas comme si vous ne m'aviez pas vu. C'est vexant. Je vous ai attendue plus d'une heure. J'aurais pu attendre plus encore. Vous me plaisez.

— Je ne viendrai pas, maugréa Cary.

Le lendemain, Cary était là. Comme elle le fut à tous les rendez-vous qu'il lui donna par la suite.

Deux mois plus tard, Sam décida qu'il était temps de faire sa demande. Pourquoi attendre ? C'était une évidence. Cary était SA femme. Avec elle, il se sentait si bien. Pourtant, et contrairement à elle, jamais il ne s'était senti exalté à l'idée de la revoir, excepté peut-être les trois premières fois. Jamais il n'avait eu peur de la perdre. Jamais il n'avait passé de nuit sans dormir. Non, Sam s'endormait comme un bienheureux chaque soir, et les seules pensées qui le maintenaient éveillé étaient ses projets de réaménagements de sa ferme une fois qu'il aurait trouvé son gisement de charbon.

Cary, quant à elle, découvrait qu'elle était une amante passionnée et angoissée que rien n'apaisait en dehors des preuves d'amour incessantes, absolues et définitives.

Mais peut-être était-ce parce qu'elle avait lu trop de romans, ou parce qu'aucun homme avant lui (hormis le cousin vaguement débile) ne l'avait aimée ni même regardée et que ce serait probablement le dernier, et qu'elle avait besoin de lui comme de l'air qu'elle respirait et cette idée était terrifiante et vertigineuse.

Pourtant, lorsque Sam lui avait parlé de mariage, Cary avait tressailli, ses mains s'étaient glacées et ses yeux, déjà légèrement exorbités, avaient semblé doubler de volume.

C'était un après-midi chez lui, dans sa maison qu'il avait construite lui-même, de ses mains, ce qui fascinait tant la jeune femme. Ils étaient allongés sur le lit, nus, un drap recouvrant le corps frêle et pâle de Cary qui avait pu constater dès leurs premiers moments passés ensemble l'absence totale de pudeur chez Sam. Ce qui l'avait d'abord choquée, puis séduite.

— C'est beaucoup, beaucoup trop tôt! dit-elle en se redressant dans le lit. Et puis papa n'acceptera jamais que j'épouse comment dire... un petit...

fermier ? Oh mais ça n'a rien à voir avec toi, chéri, ta personne, puisque je t'aime, moi, et c'est ce qui compte, n'est-ce pas ? Je sais que tu es le meilleur des hommes, que tu me rendras heureuse, et que je le suis déjà follement. Il faut juste attendre un peu, que papa s'habitue. Tu sais, il veut simplement ce qu'il y a de mieux pour ses filles. Non pas que tu sois ce qu'il y a de pire, ce n'est pas ce que je veux dire, mais, dans son esprit, tu ne corresponds pas à ce qu'il y a de mieux. Comprends-tu, mon amour ?

— **Non.**

— Oh, je t'en prie ! Il finira par découvrir quelle bonté d'homme tu es ! Je te le jure ! Seulement, c'est sûr, s'il voit où tu habites par exemple... C'est sûr qu'il va hésiter...

— Tu n'aimes pas ma maison ?

— ...

— Cary, tu n'aimes pas ma maison ?

— Disons... On voit que tu y vis seul depuis toujours... Je veux dire... C'est charmant, pittoresque, j'adore venir chez toi, j'adore ce que nous y faisons... Je trouve cela follement amusant de boire du thé dans des gobelets en fer, de dormir dans des draps qui sentent le cheval, mais pour être tout à fait sincère, je ne pourrais jamais, jamais, jamais y vivre.

— Mais où diable veux-tu vivre ?

— À la maison ! C'est assez grand pour accueillir une famille supplémentaire... La nôtre, mon amour… Toi, moi, et nos enfants… Comme je t'aime… Comme j'aime tes mains… J'aime tes manières si brutales et si tendres, si délicieusement amoureuses, lui murmura-t-elle, enjôleuse, dans l'espoir qu'il se laisse bercer et convaincre.

— Hors de question que je vienne habiter chez tes parents ! Si ma maison ne te plaît pas, ce que je peux comprendre… bien que…

— Il y a des échardes dans le plancher de ta chambre ! J'en ai retiré trois encore hier de mon orteil ! Tu veux voir comme il est rouge et tout gonflé ? On dirait le nez d'un ivrogne ! Enfin, si tu m'aimes, tu ne peux pas me laisser vivre ici ! Je t'en prie ! implorait-elle en s'agenouillant sur le lit, les mains jointes.

Sam la considéra, le sourcil dressé et se demandait si elle était sérieuse ou bien doucement dérangée.

— Si tu m'aimais comme je t'aime, tu voudrais ce qu'il y a de mieux pour moi !

Puis elle enfouit son visage dans l'oreiller et se mit à pleurer. Des petits sanglots étouffés de fillette. Sam, attendri mais pas tout à fait dupe, l'enlaça de ses bras musclés et constellés de taches de rousseur, l'embrassa dans les cheveux, et la rassura :

— Si on trouve ce fichu gisement sous mes terres, nous deviendrons riches, mon cœur ! J'agrandirai le ranch et je bâtirai une immense maison. Tu choisiras toi-même le mobilier, les rideaux et tout le reste.

– Et s'il n'y a pas de charbon ?

– Eh bien, je deviendrai avocat à la Cour suprême. Ou sénateur. J'hésite...

– C'est vrai ? s'exclama-t-elle.

– Bon sang ce que tu marches, toi ! S'il n'y a pas de charbon, j'emprunte un peu d'argent, je fais des travaux dans la ferme, j'achète plus de bétail, plus de terre, je plante de la courge et de l'orge, et j'aimerais bien avoir quelques pieds de vigne aussi, ça me plairait, et je donnerai ton nom à la meilleure cuvée. Rentre chez toi, bébé, et annonce mon arrivée pour demain. Faut que j'aille travailler.

Il lui donna une claque sur les fesses comme il aurait pu le faire sur la croupe d'une vache et se leva.

Le lendemain, alors que Cary tentait une énième fois d'éloigner son père de la maison en lui proposant une balade à cheval, à pied, en voiture (ce qui finit par intriguer le patriarche), elle reconnut le bruit du claquement de portière du pick-up, là, juste devant la maison.

Elle sortit en vitesse et courut jusqu'à Sam.

Ce dernier affichait un sourire enthousiaste et une assurance sans faille.

– Oh, mon amour... Je t'en prie, supplia-t-elle en lui sautant au cou, allons nous promener... Je t'en prie, ne sois pas si pressé ! Nous avons tout le temps ! Papa va te tuer !

Il embrassa Cary dans les cheveux et la poussa légèrement de côté. Il monta les marches, ôta son chapeau, passa une main dans ses boucles rousses, se gratta l'entrejambe en grimaçant (il avait mis son pantalon du dimanche) et frappa à la porte. Cary était planquée derrière lui et priait.

Le père ouvrit.

– Monsieur Huston, enchanté !

Sam lui tendait la main mais Huston ne cilla pas. Ce dernier repéra aussitôt sa fille :

– Sors de là, ordonna-t-il.

Celle-ci poussa Sam et fit face à son père :

– Papa, j'aime Sam et il m'aime et on va se marier. Et peu m'importe que tu dises non.

– Très bien !

Huston rentra et claqua la porte derrière lui. Cary le suivit à l'intérieur et, avant qu'elle n'ait dit un mot, son père se retourna :

– À ton âge, ma fille, je ne suis plus en mesure de t'interdire quoi que ce soit. Mais si tu épouses cet homme, il est évident que tu devras cesser de compter sur nous.

– Je suis en train de faire des forages dans mes terres, monsieur, lança Sam du pas de la porte, j'ai de bonnes raisons de croire que je vais y trouver du charbon, peut-être bien du pétrole d'après les spécialistes. J'ai de bonnes chances de devenir riche, monsieur.

– Je vous le souhaite, monsieur.

Huston tourna les talons et s'éloigna.

Trois semaines passèrent. Cary s'était installée chez Sam et avait pris les choses en main. En peu de temps, elle avait transformé la bicoque spartiate en une bonbonnière aux rideaux bleu pâle.

Et puis, la nouvelle tomba : les premiers gisements de charbon avaient été trouvés.

L'avenir semblait enfin sourire aux deux amants, et des tas de projets se bousculaient dans la petite tête de Cary : la construction d'une grande et confortable maison, leur mariage avec la bénédiction de ses parents, des enfants, une vie de famille merveilleuse.

Mais, pour le moment, Sam passait la plupart de son temps sur l'exploitation située dans le nord de l'État, à plus de deux cents miles. Il s'y rendait le lundi et revenait le vendredi. Bientôt, il n'aurait plus besoin d'y être si souvent. Cary comprenait. Elle patientait la semaine, seule, et occupait son temps à dessiner son avenir et les plans de sa maison.

Un matin, en milieu de semaine, son père vint la trouver. Il avait appris leur bonne fortune, et voulait lui annoncer qu'il ne s'opposait plus à son mariage. Il précisa qu'il n'était toujours pas pour, mais qu'il n'était plus contre.

Ils étaient assis dans la cuisine, chacun à un bout de table. De temps à autre, il jetait un œil autour de lui puis adressait à sa fille un sourire pincé. Elle écoutait ce qu'il était venu lui dire et l'observait, attentive mais déterminée, ses mains jointes sous le menton.

Après cet entretien qui ne dura pas plus d'une demi-heure, Cary raccompagna son père à la voiture, l'étreignit tendrement puis regagna la maison en toute hâte. Elle enfila une veste et grimpa au volant de sa Chrysler.

Elle ne savait pas grand-chose de l'endroit où se trouvaient les terres de Sam mais elle se souvenait du nom de la ville la plus proche : Red Cedar.

Alors Cary roula sans s'arrêter jusqu'à Red Cedar et arriva à la nuit tombée.

C'était une ville triste. Une succession de bâtiments à deux ou trois étages et de bars miteux, alignés de chaque côté de la route.

Elle gara la voiture et entra dans un bar. Une demi-douzaine d'hommes étaient accoudés au comptoir, les traits tirés. Cary ne leur adressa pas un regard mais senti le leur comme une agression. Elle s'avança jusqu'au comptoir, le menton relevé, posa ses mains gantées sur le zinc poisseux et demanda au barman s'il connaissait une exploitation de charbon dans les environs.

– Laquelle ? Il y en a plusieurs dans le secteur.

– Celle de mon mari. Sam Russell.

L'homme fit non de la tête.

Cary baissa les yeux sur ses mains et resta ainsi

quelques instants. Elle releva la tête, jeta un œil sur la rangée d'hommes qui l'observaient en sirotant leur bière, et sortit.

Elle aurait adoré boire un soda, son long trajet lui avait desséché la gorge, mais elle avait jugé risquée la compagnie de cette bande de pervers alcooliques.

En entrant dans sa voiture, elle eut une pensée émue pour son futur époux qui, lui, ne fréquentait pas ce genre d'endroit et qui travaillait comme un forcené pour leur construire un merveilleux avenir. Sam n'était pas ce genre d'homme, à s'accouder à un bar, l'œil torve à reluquer les femmes. Oh! Comme elle l'aimait.

Au moment où elle allait mettre le contact, un des pervers sortit du bar et s'avança vers elle. Elle paniqua, et dans sa hâte ne parvint plus à démarrer. Le pervers frappa la vitre de son index. Elle appuya sur le loquet de fermeture de la porte et leva les yeux vers lui à travers la vitre fermée.

— Elle est récente, l'exploitation? cria le type.

Cary acquiesça d'un signe de tête.

— Alors vous continuez sur cette route et au premier embranchement, vous prenez à droite, et vous suivez jusqu'à Keystone. C'est sur la route. Vous en avez pour vingt minutes. Faites attention aux camions sur la route! Bon courage!

Cary mit le contact et démarra. L'homme leva le

pouce en l'air et la salua en pinçant le bord de son chapeau.

Enfin, elle trouva l'entrée de l'exploitation et emprunta un chemin sinueux qui la conduisit en son cœur. Sur le chemin, les phares aveuglants d'énormes camions avaient manqué lui faire perdre le contrôle. Elle gara sa voiture et rejoignit un groupe d'hommes.

Les foreuses faisaient un vacarme de tous les diables. Des ouvriers dévisageaient cette jeune femme égarée là, salissant dans la boue noire ses petites chaussures blanches.

— S'il vous plaît, je cherche Sam Russell, le patron, le propriétaire !

— Vous le trouverez à l'infirmerie. Il s'est un peu entaillé la main, rien de grave. C'est là-bas, dans le deuxième baraquement, vous voyez les fenêtres allumées ?

Cary regagna sa voiture et se rendit au bâtiment situé à une centaine de mètres. Plus elle s'éloignait du cœur du chantier, plus il faisait sombre. Le terrain était chaotique et plusieurs fois, les roues butèrent contre des pierres. Cary avait les mains cramponnées au volant et se maîtrisait pour ne pas fondre en larmes. Quand elle arriva devant le baraquement, son cœur se serra à l'idée de retrouver son futur époux et de lui annoncer la merveilleuse nouvelle. Avant d'entrer, elle s'approcha de la fenêtre et jeta un œil à l'intérieur pour s'assurer qu'elle était au bon endroit. Son visage changea d'expression quand elle vit son futur époux, à peine caché par une étagère en métal, entreprenant l'infirmière avec fougue.

Cary laissa échapper un petit cri en même temps que l'infirmière. Sam et son aide-soignante levèrent les yeux vers la fenêtre et tous deux découvrirent le visage pétrifié de Cary, le nez collé à la vitre. Sam dégagea l'infirmière sans trop d'égards, remonta son pantalon en vitesse et courut vers la porte. Maintenant son pantalon d'une main, il se lança à la poursuite de Cary.

Mais celle-ci était déjà loin quand il démarra le pick-up.

Sur la route, il doubla une succession de camions comme avait dû le faire Cary quelques minutes avant lui. Mais il ne put se rabattre à temps et percuta celui de la file d'en face. Sam périt sur le coup. Cary était trop loin sur la route pour s'être aperçue de quoi que ce soit.

Elle roula d'une traite jusqu'à leur petite maison et arriva au milieu de la nuit. Elle gara la voiture dans l'allée et resta de longues minutes sans bouger, le moteur éteint.

Puis elle rentra, accrocha son manteau, alluma un feu dans la cheminée, se prépara du thé, et l'attendit assise sur une chaise dans la cuisine.

À MOI, HOLLYWOOD

Ma mère avait dû me guetter depuis l'aube.

Je suis arrivé à midi. Le car m'a déposé sur la grand-route devant la ferme des Finley, à environ un mile de la maison. Quand je me suis engagé sur notre chemin, je l'ai vue sortir sur la varangue. Elle me regardait venir en triturant un mouchoir blanc. Elle m'a salué d'un signe de la main. Je lui en ai envoyé un moi aussi et elle en a refait un autre. Je ne lui ai pas répondu sinon on n'en finissait pas.

J'avançais en regardant mes pieds. Je savais qu'elle avait les yeux braqués sur moi et ça m'exaspérait. Plus je m'approchais et plus je sentais sa fébrilité. Je n'avais qu'une envie : rebrousser chemin. J'étais presque arrivé, j'ai quand même relevé la tête et je lui ai souri. Elle tenait le mouchoir sous son nez. Je me demandais à quel moment elle allait réagir et me sauter au cou, me fêter comme un chien qui n'a pas vu son maître depuis longtemps.

Mais elle était l'épouse de Joseph Kitterman et elle s'en garda bien.

J'ai monté les trois marches et l'ai embrassée sur le front.

— Mon fils… Tu as fait bon voyage? Tu dois être fatigué, non? Tu es beau.

Elle osait à peine me toucher, mais elle ne pouvait pas s'en empêcher. Elle m'a replacé une mèche de cheveux et s'est remise à triturer son mouchoir.

— Ça va… J'ai juste un peu faim.

— Je te prépare un sandwich. Va dire bonjour à ton père, mon chéri. Il est derrière, il répare une clôture.

— Laisse-moi deux minutes, m'man, faut que j'aille pisser. Linda est là?

— Dans sa chambre, mais va dire bonjour à ton père. S'il te plaît.

Il frappait comme un forcené sur un piquet avec sa masse. Il a relevé la tête et m'a vu venir. Il a levé haut la masse au-dessus de lui et l'a abattue violemment sur le piquet qui s'est enfoncé dans la terre d'une bonne dizaine de centimètres.

— Bonjour, papa.

— Tiens-moi ça.

Je devais tenir un autre piquet pendant qu'il frappait dessus.

— Tu ne vas pas m'écraser les doigts, hein? ai-je plaisanté.

À moi, Hollywood

Il m'a lancé un regard, un regard plutôt hostile, il a soulevé la masse et l'a abattue en poussant un cri animal. J'ai pris peur et j'ai lâché le piquet. La masse a ripé sur le piquet et est venue heurter le sol, à quelques centimètres de ses pieds.

— Je suis désolé… Ça va ? Tu n'as rien ?

— Imbécile.

Il a ramassé le piquet et s'est débrouillé sans moi. Je le regardais sans oser bouger.

— Tu peux t'en aller, tu ne me sers à rien, souffla-t-il, le visage déformé par l'effort.

J'ai attendu quelques secondes, et je suis rentré.

— Comment ça s'est passé avec ton père ? a demandé ma mère en me voyant passer devant la cuisine.

— Comme d'habitude. Je vais dire bonjour à Linda.

— Chéri, ton sandwich !

J'ai pris le sandwich, j'ai embrassé ma mère sur le front et je suis monté à l'étage.

J'ai ouvert sa porte sans bruit. Elle était assise derrière son bureau, au fond de la pièce, face au mur. J'ai coincé le sandwich dans ma bouche et je lui ai sauté dessus, comme je le faisais à chacun de mes retours. Je l'ai chahutée un peu, chatouillée et ce genre de choses entre frère et sœur. À la fin, elle hurlait pour que j'arrête.

— Pauvre abruti, sors de ma chambre, espèce d'abruti !

– Hé! Qu'est-ce que t'es en train de regarder, petite cochonne?

Des photos d'une fille en maillot de bain dans des poses sexy étaient étalées sur son bureau.

– C'est Sharon, pauvre crétin, a-t-elle fait, tournant la tête en direction de son lit.

Et sur son lit, il y avait Sharon Lanks, étendue, lascive, la tête appuyée sur une main.

Sharon est la fille de Dorothy et Ray Lanks, un couple de fermiers du coin. Depuis l'âge de cinq ans, Sharon avait dû participer à une trentaine d'élections de miss quelque chose et pratiquement toujours gagné. À quinze ans, sa mère l'a emmenée en Californie pour un concours national. Cette fois-là Sharon n'a obtenu que la troisième place et je crois que ça l'a traumatisée à vie. Mais elle a été remarquée par un producteur qui l'a engagée sur une série télévisée. Alors elle a quitté la ferme et s'est installée là-bas, à Hollywood. C'était la première fois qu'elle revenait depuis quatre ans.

J'ai toujours eu un faible pour Sharon, mais comme j'ai trois ans de moins, elle m'a toujours snobé.

– Salut Peter. Je ne suis pas à poil, mon cher. J'ai un maillot de bain.

– Qu'est-ce que tu fiches là?

– Mon père est mort, a dit Sharon.

Elle paraissait si peu affectée que cela en était gênant.

— Oh merde, je suis désolé. Ta mère, ça va?

— Ben, non, pas tellement, non.

Je me suis assis sur le lit, j'ai attendu un peu, et après une minute de recueillement environ, j'ai de nouveau mordu dans mon sandwich.

— Sharon m'a offert des photos d'elle, a dit ma sœur.

— Je peux en avoir, moi aussi?

— Ça dépend de ce que tu veux en faire, a minaudé Sharon.

— Les punaiser au-dessus de mon lit et me tripoter devant.

— Peter! a fait Linda.

— Tu restes combien de temps? ai-je demandé.

— L'enterrement est dans deux jours. Après, je vais rester avec maman un peu, mais je dois être rentrée pour le tournage dans une semaine.

— Je ferais bien acteur, moi aussi, ça doit être chouette, non?

— Oui, ça a de bons côtés. Tu ne veux plus être fermier?

— Je n'ai jamais voulu être fermier!

Ma sœur a éclaté de rire. Elle se foutait de moi, et Sharon aussi.

— Je serai acteur, vous verrez.

— Peter... arrête, t'es ridicule, a ricané ma sœur.

— Il faut que je rentre, a dit Sharon. Je voulais juste vous dire bonjour.

Elle s'est levée, s'est étirée comme une chatte et elle est partie.

— Quelle salope…

Je me suis allongé dans le lit et j'ai enfoui ma tête dans la couverture, là où Sharon était, quelques secondes plus tôt.

— Ce que ça sent bon… C'est encore tout chaud.

— T'es pathétique, mon pauvre, a soupiré Linda.

— T'es jalouse ?

— De Sharon ?

Elle a fait une grimace et un geste de la main. Je me suis levé et je l'ai embrassée dans les cheveux.

— Tu es bien plus belle qu'elle.

Je suis descendu dans la cuisine.

J'étais devant la fenêtre et je buvais un verre de limonade. Mon père avait fini de planter ses piquets. Il était en train d'y clouer le barbelé. Même à cette distance, je voyais qu'il en bavait. Je voyais ses grimaces de douleur et ça m'exaspérait. Il pouvait engager tous les types qu'il voulait mais il n'avait confiance en personne. C'était son problème, pas le mien.

Plus il souffrait, moins j'avais envie d'en faire. Je suis allé dans le salon, j'ai allumé la télé, et je me suis vautré dans le canapé. J'avais envie qu'il me voie comme ça, en pleine action. En même temps, je le craignais. Il était bien plus grand et fort que moi et, dans le fond, plus enragé.

Je sentais bien quand je dépassais les limites et quand je devais m'arrêter. Mais c'était plus fort que moi, je voulais le provoquer. Je me disais : « Viens ! Viens te battre ! »

Je l'ai entendu entrer dans la maison. Il est allé dans la cuisine, et parlait avec maman. Je tendais l'oreille. Il est entré dans le salon et m'a jeté un regard vide, à peine surpris de me trouver affalé devant la télé. Il s'est assis dans son fauteuil avec difficulté, en prenant appui sur les accoudoirs.

À ce moment précis, je m'en suis voulu. Et puis ma mère est venue lui apporter un café.

Elle est repartie aussitôt.

Ma mère n'était jamais la même avec moi, selon qu'il y avait mon père ou non. Quand il était dans les parages, elle se censurait, devenait plus sèche et autoritaire, par solidarité avec lui. C'est lorsqu'il était loin qu'elle montrait l'ampleur de ses sentiments à mon égard et c'est tout juste si elle ne pleurait pas en me regardant.

J'avais envie d'une conversation amicale avec mon père. J'avais envie de faire la paix. Je me suis redressé dans le canapé.

– Ça va, papa ?

– Ça va. Fatigué. Éteins la télé, s'il te plaît.

J'ai obtempéré dans la seconde.

– Qu'est-ce que tu comptes faire ? a-t-il demandé.

– Je ne sais pas.

— C'est pas mal. Mais encore ?

Voilà. C'était le genre de chose qui pouvait me rendre vraiment fou. J'essayais de me calmer. J'ai fermé les yeux, inspiré, attendu un peu, espérant éluder la question, qu'il oublie ou s'endorme mais il me regardait et ne me lâchait pas. Et même quand il prenait une gorgée de café, il me toisait au-dessus de sa tasse.

— Je ne sais pas quoi te dire, papa ! Je n'ai aucune idée.

— Et en attendant d'avoir une idée, pourquoi tu ne travaillerais pas ici ?

Il n'y avait ni colère ni menace dans son ton. C'était rare. Il n'était même pas froid. Je peux même dire qu'il était bienveillant.

Ils devaient s'être parlé avec maman. Peut-être s'étaient-ils dit de changer de technique avec moi.

Ça m'a amusé. Un court moment.

— Je te paierai, a-t-il ajouté.

— Non... c'est gentil, papa, mais vraiment, j'ai pas envie d'être fermier.

— Et qu'est-ce que tu veux faire ?

— Je t'ai dit, je ne sais pas. Je verrai, je n'ai que dix-sept ans !

— J'ai commencé à quatorze ans.

— C'est bien, bravo à toi.

— Tu n'es qu'un foutu bon à rien. Tu finiras clochard. Tu m'écœures.

— J'en ai rien à foutre. Je préfère finir clochard

que fermier, ai-je fait en me faisant craquer les os des doigts.

Sa main qui tenait la tasse s'est mise à trembler. Il a renversé un peu de café sur lui. Il s'est redressé, me pointait de son index en bafouillant. Il cherchait les mots qui m'atteindraient, mais il ne trouvait pas, et je me suis marré. Je ne disais rien, mais dans ma tête je le traitais de pauvre type

Les limites étaient franchies et je guettais les représailles. Il valait mieux ne pas les attendre trop longtemps. Alors je me suis levé et je suis monté m'enfermer dans ma chambre.

Maman était juste là, planquée près de l'entrée du salon, à nous épier. Je lui ai fait « bouh » en passant. Elle a sursauté et a tendu la main pour me gifler mais j'étais déjà au milieu de l'escalier.

Linda est venue frapper à ma porte. J'étais allongé sur mon lit.

— Qu'est ce qui s'est passé ?
— Ils me rendent fou.
— Alors pars ! Toi aussi tu les rends fous.
— Je ne sais pas où aller.

Elle est allée s'asseoir à mon bureau.

Elle portait une robe sans manches à fleurs bleues. Quelque chose de vraiment tarte mais joli en même temps. Je ne comprenais pas comment je pouvais être son frère, être de la même famille que cette fille si douce, si « bien comme il faut ».

— Si j'étais eux, je te mettrais à la porte, dit-elle.

Je ne disais rien. Je sentais le regard de ma sœur sur moi, et je l'évitais.

– Tu devras demander pardon à papa, tu le sais ? Il n'est pas très en forme en ce moment. N'en rajoute pas.

– Hmm hmm.

– Tu le feras ?

– Oui.

Elle s'est levée et avant de refermer la porte elle m'a dit :

– Je suis contente de te voir. Je t'aime.

Je suis resté enfermé jusqu'au lendemain. À dormir et à penser. À attendre que la colère et la trouille des représailles disparaissent.

J'ai attendu qu'il soit loin et seul. De la fenêtre de ma chambre, je l'ai vu près d'un silo en train de bricoler, alors je suis descendu et je l'ai rejoint.

J'ai croisé ma mère qui balayait le salon. Blême et digne.

Quand elle m'a vu, son menton a frémi et j'ai cru qu'elle allait se mettre à pleurer. Je ne lui ai pas laissé le temps de se liquéfier, je l'ai ignorée et je suis sorti.

J'étais à quelques mètres de lui, pas très fier, les mains dans les poches.

– Je te demande pardon, ai-je fait.

J'ai attendu qu'il dise quelque chose, mais il n'a même pas relevé la tête. Alors je suis parti.

Je le comprenais. Mais bon, je venais de m'excuser et je n'avais pas envie de m'appesantir là-dessus.

– Hé, viens là! a-t-il lâché alors que j'étais déjà loin.

J'ai fait demi-tour.

– Va chercher le tracteur, attache la remorque et vide le silo. Il y a eu des fuites et le grain est en train de pourrir.

Je lui devais bien ça. Alors j'ai fait ce qu'il m'a dit. Ça m'a pris plus de trois heures. Rien que d'accrocher la remorque au tracteur, ça m'a pris une heure. Parce que j'ai dû le faire seul. C'est déjà compliqué de reculer un tracteur dans l'axe précis de l'attache de la remorque, mais essayez donc de le faire sans que personne vous guide.

Je suppose que c'était ma punition.

Le lendemain, il m'a demandé de venir marquer les veaux. J'ai senti à son ton qu'il valait mieux que j'obéisse. Du moins tant que je n'avais nulle part ailleurs où aller.

J'avais assisté à ça des centaines de fois, mais jamais je n'avais voulu y participer.

D'habitude, c'était un garçon de mon âge qui attrapait les veaux au lasso. Le fils de Cobb, un type qui travaillait avec mon père depuis toujours.

Je regardais ça de loin et d'un œil, assis sur un tonneau.

N'être qu'un simple spectateur alors qu'il s'agissait en quelque sorte de mes veaux et de ma ferme et que j'aurais pu être moi à la place de ce garçon agile me mettait les nerfs à vif.

Ce jour-là, je n'ai pas réussi à attraper une bête au lasso. Ce n'est pas si facile que ça. Mais j'en ai quand même marqué quelques-unes.

On était juste mon père, moi et Cobb. Je lui étais reconnaissant de n'avoir fait venir personne d'autre, et surtout pas le fils de Cobb.

J'étais vraiment mauvais. Et cette première expérience a été un cauchemar.

Je tenais le fer aux initiales « J. K. » comme Joseph Kittermann à bout de bras et je ne parvenais pas à l'appliquer sur la cuisse du veau. Mon père était agenouillé sur le flanc de l'animal couché, pour le maintenir immobilisé.

– Vas-y, bon Dieu ! Qu'est-ce que t'attends ? criait-il. Je te dis qu'il ne sent rien, bon Dieu ! Vas-y !

Le veau semblait m'implorer. Son œil sortait presque de son orbite. Papa me hurlait dessus et Cobb faisait mine de ne rien voir de mon incompétence. C'était un type tranquille, honnête et complètement dévoué à mon père.

– Allez, un coup franc !

J'ai dû m'y reprendre à plusieurs reprises. Ce qui du coup rendit illisibles les initiales sur la cuisse de

116

la pauvre bête. La marque, enfin, la plaie ressemblait juste à de la bouillie fumante. De la viande trop cuite, sans compter l'odeur.

Quand on l'a libéré, il s'est redressé tant bien que mal sur ses pattes et a foncé aveuglément contre la clôture puis il est resté là, tremblant sur ses longues pattes à meugler sa douleur et son humiliation.

Mon père m'a arraché le fer des mains et m'a montré comment faire pour la énième fois. Et j'ai été obligé de réussir.

À la fin de la journée, Michael m'a donné une tape amicale dans le dos, en douce de mon père. Comme ma mère.

Le lendemain matin, on est tous partis à l'enterrement du père de Sharon.

C'était un enterrement comme tous les autres ; assez ennuyeux pour les gens qui ne sont pas directement concernés. Après la cérémonie à l'église et le cimetière, la mère de Sharon avait préparé un copieux buffet pour tout le monde. Tout le monde se croyait obligé de parler à voix basse, même pour se dire des banalités.

À un moment, Sharon et moi on est montés dans sa chambre et on a baisé.

Si je venais d'enterrer mon père, je ne crois pas que j'aurais pu baiser ce jour-là. Enfin je ne sais pas. Ensuite, on est redescendus comme si de rien n'était, moi d'abord, puis elle, quelques minutes après.

Sharon avait trois ans de plus que moi. J'en avais dix-sept ; elle, vingt. Elle était experte dans beaucoup de domaines. Elle était une sorte de star. En tout cas elle en avait l'air. Surtout pour nous, les ploucs qui étions restés à la campagne.

J'étais comme une pauvre mouche attirée par une pâtisserie à la crème fouettée. Mais franchement, je ne vois pas quel adolescent dans mon cas n'aurait pas succombé. Et d'ailleurs il n'y avait pas que les adolescents. Il fallait voir la plupart des hommes loucher sur son cul. Même des types de sa famille, oncles et cousins. Et ce n'était pas des pervers, juste des types normaux, de bons pères de famille.

Ces quelques minutes dans la chambre de Sharon m'avaient fait pousser des ailes. Les jours suivants, j'ai été le meilleur fils qui soit. Le meilleur !

Je faisais tout ce que mon père me demandait. Je travaillais avec lui, à son côté. Je travaillais dur et sans me plaindre en ne pensant à rien d'autre qu'au corps et aux baisers de Sharon que je retrouvais chaque soir après le dîner.

À la maison, l'ambiance était en train de changer. Les visages de mes parents s'éclairaient. Il leur arrivait même de sourire.

Et puis un soir, mon père s'est mis à faire des projets qui me concernaient, moi, la ferme et tout le reste… En fait, il pensait que j'étais revenu à la raison et que je m'étais mis à travailler et que j'allais rester à vie.

Je n'ai rien dit. Je les ai laissés rêver. Moi, j'avais déjà décidé que je partirais avec Sharon à Hollywood. Et je savais que j'allais partir sans leur dire, la nuit, en douce.

Après le dîner, je suis allé rejoindre Sharon.

C'est sa mère qui m'a ouvert. Elle m'a salué mollement et elle est retournée s'asseoir dans son immense fauteuil à oreilles, devant la télé. Sharon était au téléphone et a agité le bout de ses doigts pointus et vernis dans ma direction. Je suis resté debout à attendre qu'elle finisse. Je regardais Mme Lanks. J'avais l'impression qu'elle était en train de se faire aspirer par son fauteuil. Elle était si menue. C'était assez triste de la voir comme ça. Avant la mort de son mari, elle était la plus bavarde de la région. Tout s'était métamorphosé chez elle : son teint, sa voix, sa silhouette, sa façon de se tenir. Elle s'était affaissée, éteinte.

Pauvre Mme Lanks. Sharon a mis un temps fou avant de raccrocher. Je me suis assis sur le canapé, et j'ai regardé la télé avec Mme Lanks.

— Excuse-moi.

— Pas de problème, ai-je fait.

— On monte ?

À peine avais-je fermé la porte que Sharon se collait à moi et me dégrafait le pantalon.

— Heureusement que t'es là, je me tirerais une balle sinon ! a-t-elle dit.

C'était assez embarrassant qu'elle dise ce genre de choses alors qu'elle venait de perdre son père et que sa mère était en plein deuil, mais j'avais bien trop envie d'elle pour lui faire une leçon de morale, et elle m'aurait envoyé me faire foutre et j'aurais vraiment regretté.

Pendant qu'on se déshabillait mutuellement, je lui disais que je voulais partir avec elle à Hollywood et que je voulais devenir acteur moi aussi. Elle me répondait, exaltée, que *moui mmm moui… je devais la suivre, que comme ça, on pourrait continuer de baiser partout quand on veut autant de fois qu'on veut…*

Quand on a eu fini, Sharon a allumé une cigarette. Je souriais en la regardant et j'étais si excité de ce qui nous attendait à Hollywood.

— C'est quoi ce sourire à la con ?

— Rien, je suis content, c'est tout !

— T'es content ? C'est bien.

Elle tira une dernière bouffée de sa cigarette et se leva pour s'habiller.

— Tu sais, c'est dur là-bas, dit-elle en remettant son soutien-gorge et le reste. Et tu comptes habiter où ?

— En fait, je pensais que tu pouvais m'héberger quelque temps, tu m'as dit que tu habitais dans une grande maison.

— Oui, mais ce n'est pas la mienne, je suis juste coloc avec une amie. C'est à elle la maison.

— Pas grave, je trouverai bien un endroit.

— Bon. Faut que tu partes, j'ai des trucs à faire.

Elle avait fini de se rhabiller, elle était debout, près du lit, les bras le long du corps. Moi j'étais encore à poil sur le lit.

Je me suis levé, habillé et je suis parti

— À demain soir.

— J'sais pas, elle a dit. Salut.

Le lendemain soir je suis allé la voir. Sa mère m'a dit qu'elle dormait.

Pourtant la lumière était allumée dans sa chambre. Mme Lanks a eu l'air navrée de me mentir.

Sharon devait repartir trois jours plus tard.

C'est curieux comme je m'étais fixé sur cette fille. Je pensais que si je ne partais pas avec elle alors je ficherais ma vie en l'air. Que mon salut, ma survie dépendaient d'elle.

Je n'avais plus le cœur à travailler avec papa. Plus d'entrain. Je suis resté enfermé toute une journée à cogiter, et, le soir, je suis allé traîner près de chez Sharon, espérant l'apercevoir.

Le lendemain, alors que je me préparais à passer une nouvelle journée sur mon lit à me ronger les ongles, mon père est venu me demander de l'accompagner dans une ferme voisine ; il voulait acheter des bêtes.

Il avait la voix terne et monocorde. On aurait dit qu'il avait abandonné toute tentative d'autorité, de lutte et de menace. Il semblait juste mué par la volonté de maman et son souci de regroupement familial.

J'ai dit oui parce qu'il me semblait qu'un petit tour en voiture ne me ferait pas de mal et qu'en plus ce ne serait pas fatigant.

Alors, après le déjeuner, on est montés dans son pick-up Ford et on est partis.

– C'est loin, tu veux de la musique ?

– Non merci, papa.

J'avais l'impression d'être un convalescent et d'ailleurs c'est comme ça que papa me traitait ; avec des pincettes.

On roulait depuis vingt minutes. Sans un mot. On devait être vers Long Valley, au milieu de plaines quasi désertiques, avec au loin les pics crénelés des montagnes. Je regardais le paysage défiler mais sans vraiment y prêter attention.

Je n'étais pas disposé à admirer quoi que ce soit mais le spectacle auquel j'allais assister est l'un de mes plus beaux souvenirs.

C'est d'abord le comportement de papa qui m'a intrigué. Il ricanait, accélérait puis freinait et accélérait de nouveau en jetant des coups d'œil par la vitre de sa portière. Je me suis penché pour voir ce qui l'amusait autant et j'ai vu une horde de *broncos* galopant comme des enragés dans la poussière. Il y en avait une trentaine. Et de temps en temps, ils tournaient la tête vers le pick-up, comme pour vérifier la distance qui nous séparait d'eux, comme l'aurait fait un coureur sur son adversaire. Pris par ce jeu, je disais à mon père d'accélérer puis de freiner, et riait comme lui, de voir la réaction des chevaux.

Dès qu'on prenait un peu d'avance, alors le cheval de tête baissait l'encolure et accélérait encore et encore, propulsé par ses jambes qui paraissaient si fragiles, prêtes à se briser ou à se tordre sur une pierre. Et puis il nous a fallu tourner. Les *broncos* ont continué leur course démente jusqu'à l'horizon.

Je les ai regardés jusqu'à ce qu'ils disparaissent au loin. Et le silence est revenu.

On a roulé encore une demi-heure et on est arrivés à la ferme.

J'étais presque content. Il était temps qu'il se passe quelque chose et que le silence prenne fin.

Je me souviens (parce que ça m'avait surpris) du visage fier de mon père quand il m'a présenté au type. Un fermier d'une cinquantaine d'années, aussi robuste que lui avec des mains comme des battoires, comme celles de mon père.

Papa se tournait souvent vers moi, cherchant à me faire participer le plus possible au choix des bêtes et à la transaction. J'opinais du chef chaque fois que nécessaire mais je n'étais pas dupe de ses manœu-vres. Je le trouvais même assez pitoyable. Ça ne manqua pas de me mettre de mauvais poil mais je décidai de tenir bon au moins jusqu'à notre départ.

Alors qu'ils discutaient, je me suis éloigné.

Papa voyait ça d'un mauvais œil.

La ferme était encore plus isolée que la nôtre. Des vaches me regardaient fixement en ruminant leur foin. Plusieurs d'entre elles se sont mises à pisser en même temps, sans me quitter des yeux. On aurait dit qu'elles le faisaient exprès.

Une grosse femme est sortie de la maison tenant une marmite qu'elle a posée sur le rebord de la fenêtre avant de retourner à l'intérieur. Un garçon de mon âge, grand et maigre à l'air abruti, est sorti par la même porte et nous a rejoints. Il avançait en traînant les pieds, comme si ses bottes en plastique étaient trop grandes, ce qui semblait être vraiment le cas ainsi que pour le reste de ses vêtements. Son pantalon flottait sur ses cuisses et il le remontait sur le devant toutes les dix secondes. Ce porc a craché au moins vingt fois sur le trajet.

Le type nous a présenté son fils que j'ai salué de loin. Il a craché encore et a disparu dans l'étable.

C'était une vision de cauchemar. J'étais certain de finir comme ce garçon rendu débile à cause de l'absence totale de trace de civilisation.

J'ai fait un signe à mon père et je suis allé

l'attendre dans la voiture. Il n'a rien osé me dire devant le type mais je savais que ça allait lui déplaire.

J'étais plus que jamais décidé à partir. Quitter la ferme, la région, l'État, définitivement.

Mon père a regagné la voiture une demi-heure après. Il a claqué la porte et on est repartis. J'ai regardé par ma fenêtre tout le voyage (plus d'une heure quand même) sans oser tourner la tête.

Maman nous attendait avec un sourire anxieux. Elle cherchait à savoir en guettant nos visages si ça s'était bien passé. Elle a tout de suite compris en voyant la tête de mon père.

Moi, j'ai filé dans ma chambre et j'ai fait mon sac.

Plus tard, quand j'ai entendu ma sœur regagner la sienne après le dîner, je suis allé la rejoindre. Je lui ai dit que j'allais partir et je lui ai demandé de me prêter un peu d'argent.

Elle a d'abord refusé, puis quand elle a compris que, de toute façon, je partirais, elle m'a donné tout ce qu'elle avait. Environ cinquante dollars.

Après, je suis allé chez Sharon. J'ai frappé à la porte. C'est sa mère qui m'a ouvert.

– Bonjour Peter. Sharon n'est pas là.

Mais au moment où elle disait ça, j'ai entendu Sharon à l'intérieur l'autoriser à me faire entrer.

Sharon et moi on est montés dans sa chambre.

Elle s'est assise sur son bureau en soupirant et m'a demandé ce que je voulais. Je suis resté debout.

— Je pars demain, moi aussi.

— C'est bien. Où tu vas ?

— À Hollywood.

Elle a hoché la tête avec un petit sourire.

— Et où exactement ?

— Je ne sais pas. Je ne connais rien là-bas. Mais je me débrouillerai.

— Comment tu vas y aller ?

— En stop, ou en car.

— T'es taré.

— C'est si je reste que je vais devenir taré.

Elle balançait ses jambes avec un air de supériorité que je trouvais excitant à l'époque.

J'avais les mains dans les poches et j'attendais comme un imbécile. (Quand je me vois à cette époque avec elle, je me fais pitié.) Elle me regardait avec un petit rictus. Et puis son regard a perdu de son arrogance. Il y avait toujours ce petit rictus mais il semblait signifier autre chose. Elle avait juste l'air navrée maintenant.

— T'es pénible, Kittermann… Je vais te donner deux numéros de personnes que tu pourras appeler de ma part là-bas, OK ?

Elle a noté les numéros sur un bout de papier et me l'a donné.

— Maintenant tu te débrouilles, je ne veux plus entendre parler de toi, OK ?

Elle avait retrouvé son air arrogant. Je me suis approché d'elle. J'avais affreusement envie de l'embrasser et de la toucher.

– Hou là là! Je ne sais pas ce que t'as l'intention de faire mais évite! a-t-elle dit en me repoussant d'un geste de la main. Va-t'en, s'il te plaît. Tu fais une tête là et ça m'énerve.

Quand je suis descendu, Mme Lanks regardait un film à la télé, dans son grand fauteuil à oreilles. Je me demandais ce qu'elle allait devenir quand Sharon serait partie. Cette pensée a disparu dès que je suis sorti de chez elle. Je repensais à cette garce et à sa façon de m'humilier. Je pensais aussi à ma frustration et à mon érection aussi brève que subite lorsque je m'étais approché d'elle.

Mes parents regardaient eux aussi un film à la télé. Même s'ils étaient deux, il régnait le même sentiment de solitude, d'ennui, de mort presque, en tout cas de fin de vie, que chez la mère de Sharon.

Je suis monté dans ma chambre et, avant toute chose, je me suis masturbé en pensant à Sharon.

Une fois la chose accomplie, je me suis assis devant mon bureau et j'ai entrepris d'écrire une longue lettre à mes parents.

Je n'ai jamais réussi. J'ai juste écrit que je les aimais, contrairement aux apparences, et que j'étais désolé de ne pas être le fils qu'ils auraient souhaité. J'ai signé Peter et j'ai ajouté «votre fils». Rien que de voir écrit ça, «votre fils», ça m'a noué la gorge.

J'ai plié le mot et je l'ai posé au milieu de mon bureau.

J'ai programmé mon réveil pour cinq heures, j'avais calculé ça en fonction de l'horaire du car. Le premier, celui que j'allais prendre, passait à six heures devant la ferme des Finley. Je me suis allongé sur mon lit tout habillé en pensant à ma nouvelle vie là-bas.

Je me suis réveillé cinq minutes avant mon réveil. Je l'ai éteint et je me suis levé. J'ai déplacé le mot que j'avais écrit de quelques centimètres, ça m'avait semblé mieux. J'ai pris mon sac et je suis descendu en tâchant d'éviter les marches qui grinçaient. Je suis allé dans la cuisine et je me suis préparé le plus de sandwichs possible pour la route. J'ai regardé si j'avais tout rangé dans la cuisine, j'ai éteint la lumière, je me suis retourné et mon père était là, en robe de chambre dans l'escalier, immobile, la main sur la rampe.

J'ai eu la trouille de ma vie. J'ai cru que c'était un spectre. C'est-à-dire, je ne m'attendais pas à voir quelqu'un dans la pénombre à cette heure-là.

– Où tu vas ?
– Je pars.
– Je vois bien mais où ?
– À Hollywood.
– Imbécile.

Il est remonté sans se retourner et j'ai entendu la porte de sa chambre se refermer.

Mon père avait un peu gâché l'atmosphère de clandestinité et de vague solennité de mon geste.

Mais bon, je suis quand même parti.

J'ai marché jusqu'à l'arrêt du car pendant près d'une demi-heure.

Il faisait un peu froid. Les lueurs bleutées de l'aube redonnaient un peu de grandeur à mon départ.

Je voyais quelques fermes aux fenêtres déjà allumées, et je pensais à ce petit monde qui se préparait à sa journée de labeur. J'y pensais avec bienveillance et admiration. J'étais vraiment heureux.

J'allais devenir une star. À moi, Hollywood !

Le car est arrivé.

Je suis monté dedans.

On avait roulé à peine dix minutes quand le chien a traversé la route. Le chauffeur a freiné brusquement. Le car s'est renversé sur le côté. Il n'y a eu aucun mort mais on a tous hurlé comme des veaux.

Je m'en suis tiré avec deux côtes fêlées, et une jambe cassée.

Mon père est venu me chercher à l'hôpital le lendemain.

Dans la voiture, sur le chemin de la maison, il m'a donné une grande claque sur mon plâtre.

– Alors, Hollywood ? Raconte ?

UNE VICTOIRE

Le ferry avait accosté vingt minutes plus tôt.

Du quai, je cherchais sa voiture. C'était un coupé sport crème, m'avait-il dit. Mais je ne la voyais pas. L'embarcadère se vidait et je me faisais l'effet d'une voyeuse à assister aux retrouvailles et accolades des uns et des autres.

Alors je baissais les yeux, fixais mes pieds, feignais d'enlever une poussière sur ma robe, et maudissais mon père.

J'avais envie de pleurer. Pourquoi était-ce si compliqué d'arriver à l'heure pour accueillir sa fille? Il n'avait pas d'excuses. Il était en vacances, et avait insisté pour que je vienne.

Il est arrivé plus de vingt minutes après. J'ai supposé que c'était lui parce qu'il se dirigeait droit vers moi, en klaxonnant et agitant son bras au-dessus de sa tête.

Il s'est arrêté à dix centimètres de mes pieds, il a

sauté par-dessus sa portière, s'est approché tout près et m'a pris les joues entre ses mains.

— Comment vas-tu, ma beauté ?

— Ça fait près de trois quarts d'heure que je t'attends, papa.

— Je suis désolé, chérie, il a fallu que je fasse quelques courses pour le dîner. Tu m'en veux ?

Il était très beau et bronzé. Il portait une chemise blanche aux manches retroussées, un pantalon beige et des mocassins souples, pieds nus.

— Je ne vois pas ce que ça change, mais oui, je t'en veux.

Il roulait vite sur la petite route.

J'ai enlevé mon chapeau à cause du vent, et je maintenais mes cheveux d'une main pour ne pas les avoir dans le visage. Il souriait. Il avait l'air heureux et semblait se moquer éperdument de m'avoir fait attendre.

— Qu'est-ce qui te fait sourire ?

— Rien. Tout. Je suis heureux que tu sois là, a-t-il dit en me prenant la main et en l'embrassant.

— Moi aussi je suis heureuse de te voir.

C'était vrai, même si l'admettre était comme lui accorder l'impunité, le droit de m'oublier et de me faire toujours attendre. Mais je n'arrivais jamais à lui en vouloir longtemps. Et son bonheur évident de me voir éteignait peu à peu ma colère.

— David et Katy sont arrivés hier. Ton frère a une nouvelle fiancée. Jolie fille.

— Aussi jolie que la tienne ?
— Presque ! J'espère qu'elle te plaira.
— Toi, elle te plaît ?
— Beaucoup.
— Tu es amoureux ?
— Ouais !

Il s'est garé devant la maison et a klaxonné. Mais personne n'est venu nous aider à décharger les courses et mes bagages du coffre.

Papa me précédait en criant « Hé ho ! On est là ! » dans la maison vide, blanche et lumineuse.

Dès l'entrée qui donne sur le salon, vous êtes éblouis par la lumière et la vue sur l'océan que laisse voir l'immense baie vitrée.

— Mais où sont-ils, bon Dieu ?
— À la plage peut-être ?
— Possible… Tu vas mettre tes bagages dans ta chambre, ma chérie ?

En montant, j'ai vu un bout de tissu, une robe légère en mousseline verte, jetée sur la rampe d'escalier. Le genre de robe qui ne pouvait appartenir qu'à une jolie fille sûre d'elle. J'espérais qu'elle ne le soit pas trop. L'excès d'assurance chez certaines personnes me met très mal à l'aise. Et parfois de mauvaise humeur. J'avais envie de passer de bonnes vacances, je n'avais pas envie de me fâcher avec papa ou qui que ce soit.

De la fenêtre de ma chambre, j'ai vu ma sœur, Kate, avec Ali, la fiancée de papa, ai-je supposé. Une brune ravissante, une sorte de jeune Indienne aux dents blanches et à la peau mate, au corps mince et musclé. Elle avait un sourire franc et joyeux, je veux dire, réellement joyeux, pas un de ces sourires courtois et hypocrites. Un peu comme celui de ma sœur à cet instant, d'ailleurs.

Mais on ne peut pas en vouloir à Kate, c'est une déformation professionnelle. Elle est attachée de presse dans la mode, et elle m'a dit un jour que, ce sourire-là, c'était le moyen de communication le plus répandu dans ce milieu. Kate et moi nous ressemblons beaucoup : nous sommes toutes les deux grandes, minces et blondes aux yeux bleus. Mais Kate a choisi une voie opposée à la mienne. En réalité, je crois que c'est moi qui ai choisi une voie opposée à la sienne. Peut-être parce que la sienne ressemblait trop à ce que mon père attendait de nous.

Kate est d'après moi une fille parfaite. Elle a réussi à faire de la sophistication son naturel. Je n'ai pas le souvenir d'un moment où cela lui a demandé un quelconque effort.

Enfant, je considérais comme un signe de caractère et d'indépendance d'esprit de ne pas les écouter, et de mettre mon coude sur la table. De ne pas m'inscrire au club de tennis, de ne pas me coiffer chaque jour, et de ne pas fréquenter les bonnes personnes. Kate, elle, appliquait chacune de leurs consignes avec un plaisir non dissimulé. Comme si ces préceptes la rapprochaient chaque jour de la perfection et de la félicité.

Et d'enfant modèle elle est devenue jeune femme modèle.

Moi, j'étais trop en colère contre eux et leurs mensonges pour les écouter. Et je croyais voir des choses que Kate ne voyait pas. J'en tirais une sorte de supériorité qu'elle rattrapait sans le vouloir ni le savoir en étant plus heureuse que je ne l'étais. Pour autant, et malgré nos différences, nous nous sommes toujours adorées et assurées de notre entière dévotion l'une envers l'autre.

C'est plus tard que j'ai compris qu'elle aussi avait ses failles. Quelques brèches dans sa perfection qu'elle colmatait avec divers antidépresseurs, coke, héro, etc. Héritage de papa.

Elle n'arrivait pas à admettre que sa vie ne ressemble pas davantage à ce qu'elle s'était imaginé, petite. Qu'elle ne soit pas à l'image de cet endroit, si beau, si paisible, où rien de mal ne peut arriver.

Moi, je n'ai pas eu ce problème, je n'ai jamais voulu que ma vie ressemble à ça. Je ne vis pas dans le luxe aujourd'hui, mais je m'en sors assez bien entre les publicités, les voix, les petits rôles au théâtre.

Je vis à Brooklyn dans un grand atelier avec mon ami, un peintre de dix-huit ans de plus que moi. Un homme au mauvais caractère. Associable et jaloux. Je pense que je l'aime parce que je suis la seule à le calmer et le divertir. Mais je me dis que ça ne durera pas. À force, je me lasserai de lui montrer la vie sous un angle plus optimiste. Mes ressources commencent à s'épuiser. Je le quitterai quand j'aurai un peu plus de cran. J'ai déjà essayé plusieurs fois mais il est si malheureux que je reviens chaque fois.

Cette fois, j'étais décidée à partir quoi qu'il dise. Je lui ai annoncé le matin de mon départ pour Quonset Point.

— Richard, je suis désolée… Je voudrais qu'on se sépare vraiment cette fois. Voilà.

Il a répondu que, si c'est ce que je voulais, eh bien c'est ce que je devais faire. Et il a replongé le nez dans son journal.

À sa place j'aurais sûrement réagi pareil. Pourquoi s'inquiéter, puisque je revenais toujours. Mais cette fois ce serait différent. Je devais vraiment partir. Pour Quonset Point. Voir papa. J'en profiterais pour ne pas revenir avec lui.

J'étais triste pour Richard. Il lisait son journal sans se douter de ce qui l'attendait.

Avant de descendre rejoindre papa et les autres, je suis allée me rafraîchir dans la salle de bains bleue à l'étage, celle des enfants.

On aurait dit la salle de bains d'un grand hôtel à cause de la robinetterie en cuivre, la pile de serviettes blanches et impeccables, les grands miroirs, le sol en marbre. Dans ma salle de bains, à Brooklyn, je passe mon temps à ramasser les serviettes, poils et lames de rasoirs que laisse traîner Richard. Le robinet de la baignoire siffle et le miroir fêlé au-dessus du lavabo attend d'être remplacé depuis des mois.

J'avais vaguement la vie de bohème que je voulais, petite, mais je n'étais plus aussi sûre qu'elle me convienne tant que ça.

Kate avait déjà installé ses affaires. Des dizaines de flacons, de tubes, de bouteilles et de petits pots aux bouchons dorés s'alignaient sur les étagères.

Fascinant. Je déposai mon unique crème de jour qui marchait aussi la nuit, mon savon pour le visage, et mis ma brosse à dents dans un verre.

David et sa fiancée revenaient de la plage. J'étais sur la terrasse, respirant à pleins poumons ma nouvelle liberté.

— Ma sœur chérie! lança mon frère. Ma petite sœur chérie que je vois une fois par siècle! Un peu pâlotte, ma belle.

— Merci.

— Je te présente Helen, ma fiancée.

Elle portait une petite robe noire sans manches ceinturée à la taille et des ballerines. En la voyant, j'ai tout de suite pensé que David allait l'épouser et lui faire un tas d'enfants.

Elle était ravissante et sa timidité tranchait avec l'assurance et l'exubérance de mon frère.

— Si tu venais me voir au théâtre, tu me verrais plus souvent, ai-je fait en lui pinçant le bras, alors que nous nous dirigions dans la cuisine d'où provenait la voix joyeuse de papa.

— Tu as joué cette année ? demanda mon frère.

— Des petits trucs… Mais je prépare *La Chatte sur un toit brûlant* pour l'année prochaine. J'espère que tu viendras, et vous aussi Helen ! J'ai le rôle de la chatte.

— Oh ! Avec plaisir ! sursauta-t-elle comme si je venais de la réveiller.

Dans la cuisine, Ali, papa et Kate rangeaient les courses.

— Diane, a fait papa. Ma chérie, je te présente Ali.

On s'est saluées. J'ai souri autant que possible. Ma sœur l'a remarqué et a détourné la tête pour dissimuler son gloussement. Ali et moi sommes restées quelques secondes à nous sourire, cherchant quelque chose à se dire et, comme nous n'avons rien trouvé, je suis allée enlacer ma sœur que j'étais si heureuse de voir.

Il y a eu un petit moment de flottement vaguement gênant puis papa a proposé que nous prenions l'apéritif dehors.

Un court instant, quand nous étions sur la terrasse, j'ai regretté que Richard ne soit pas là. Et puis
il m'est revenu quel sinistre rabat-joie il pouvait être
quand trop de beauté l'entourait, surtout quand il
n'y était pour rien. En vivant à son côté, j'ai perdu
ma capacité d'enthousiasme. Je savais combien il
m'en coûterait après, alors j'en manifestais de moins
en moins, et le réservais à ses toiles, pour avoir la
paix.

Ce jour-là, j'étais heureuse de pouvoir admirer et
m'enivrer de la vue de l'océan, de son odeur, de la
beauté de ma famille, de la perfection de leurs traits
et du bonheur de mon père, de la blondeur de ma
sœur, de la tendresse de mon frère envers sa future
femme, sans risquer ses sarcasmes, ou de me justi-
fier.

Chercher les failles. C'est tout ce qui semblait
l'intéresser.

«Les failles, c'est ce qui apparaît quand on se
donne la peine de réfléchir sur ce qui nous
entoure», concluait-il chaque fois que nous nous
disputions à propos de son pessimisme.

— Tout va bien, chérie? me demanda Kate.

— Oh oui, je pensais juste à quelques trucs.

— Es-tu toujours avec Richard le Terrible?

— Je l'ai quitté avant de venir ici...

— Oh! Ça veut dire que tu as au moins quinze
jours de tranquillité!

— Et toi? Pourquoi Ted n'est pas là?

139

– À cause du boulot. Ou de sa maîtresse ou de sa haine pour papa, choisis.

Kate s'est levée pour aller remplir son verre de chablis.

– Qui vient m'aider à préparer les homards ? a demandé papa.

– Je t'accompagne, a fait Ali en se levant.

– Papa, tu ne veux pas te baigner ? ai-je demandé.

– Oh non ! Elle est trop froide ! a répondu Ali.

J'attendais une réponse de papa. Pas d'elle. Il n'a pas jugé bon d'ajouter quoi que ce soit.

– Bon… nous, on y va ? ai-je demandé à Kate et David.

– Je veux bien vous accompagner mais je ne me baigne pas. Trop froid ! a dit ma sœur.

David a hésité mais il a bien senti qu'il ne pouvait pas me refuser, lui aussi.

Sa fiancée s'est agrippée à son bras et couinait quelque chose d'inaudible. David lui a murmuré à l'oreille en lui tapotant gentiment la main. C'est drôle les codes entre amoureux. Jamais Richard ne m'aurait tapoté la main comme ça. Mais je ne me serais jamais agrippée à son bras en couinant.

Nous avons marché jusqu'à la plage, Kate, David, sa fiancée et moi. Nos regards se portaient autant sur les falaises et les dunes environnantes que sur nos pieds s'enfonçant dans le sable.

– Ali portait un foulard de maman dans les cheveux, ai-je dit. Vous avez vu ?

— Je n'ai pas remarqué, a fait Kate.

— Je ne comprends pas que papa la laisse faire ça, ai-je continué.

— Diane, laisse tomber…

— Il t'a souhaité ton anniversaire, à toi ? Il t'a appelée ?

— Non.

— Ce n'est pas normal. Il ne m'a pas appelée non plus. Et il m'a fait attendre presque une heure sur le quai ! Ce n'est pas normal. C'est un sale con.

— Arrête ! Diane ! soupira ma sœur. Qu'est-ce que ça peut faire ? On le connaît !

— J'aurais mieux fait de ne pas venir, ai-je fait en m'allumant une cigarette.

J'avais froid et je n'avais plus aucune envie de me baigner mais je ne pouvais pas renoncer, ne serait-ce que pour ne pas perdre la face devant la poule de papa.

Helen couinait encore pendant que David se déshabillait. Elle craignait qu'il n'attrape froid. Kate grelottait, les bras croisés, et pour moi, le plaisir de ce premier bain, qui était une tradition familiale depuis que nous étions enfants, était gâché. Mais David a plongé et j'ai dû y aller.

On a fait une course jusqu'au ponton des voisins. David a gagné comme d'habitude. Nous sommes rentrés en silence, frigorifiés.

– C'était génial ! ai-je clamé en entrant dans la maison.

Papa et sa fiancée sont sortis de la cuisine.

– Tu es folle ! a-t-il fait.

– Je peux te prendre un gros pull ? ai-je demandé à mon père.

– Je vais t'en chercher un, a dit Ali.

– Pas la peine, j'y vais.

Je suis montée dans ce qui était la chambre de mes parents et qui est devenue, depuis leur divorce, la chambre de papa et de ses petites amies. Elles y ont toutes laissé quelque chose : une photo dans un cadre, un coussin, une bougie, un flacon de parfum…

J'ai jeté un rapide coup d'œil pour voir ce que celle-ci avait changé. Rien, pour l'instant. Mais elle avait pris toute la place dans la penderie.

Qui a besoin d'apporter tant de vêtements pour quinze jours de vacances ? J'ai pris un pull à mon père. Son gros pull de marin que maman lui avait offert.

Ali est entrée dans la chambre.

– Tu as trouvé ?

– Oui. Merci.

J'ai quitté la chambre après qu'on a échangé un sourire.

Nous avons dîné dehors, sur la terrasse. Ali avait dressé la table comme si elle était la maîtresse de maison.

En revanche, elle nous a laissés débarrasser, nous, les enfants. Papa était resté à table et digérait, les jambes étendues sous la table. De temps en temps, il lançait un « ça va les enfants, vous êtes bien ? », et l'on répondait par des sourires. Sauf moi.

Nous avons bu un café en silence sur la terrasse. La nuit commençait à tomber.

Ali a demandé à papa si on pouvait allumer quelques bougies.

Papa et elle sont partis dans le salon et en sont revenus avec des grosses bougies rondes.

Je me suis redressée sur ma chaise :

— On ne va pas allumer ces bougies !

— Pourquoi pas ? a dit mon père.

— Parce qu'on n'a jamais allumé ces bougies ! Ce sont des bougies décoratives !

David essayait d'attirer mon attention en remuant sur sa chaise.

— Quoi ? C'est pas vrai ? Maman ne voulait pas qu'on allume ces bougies !

— Je crois qu'il y en a d'autres dans le placard du cellier, a dit ma sœur en se levant.

— Diane, tu nous emmerdes, a dit mon père en allumant une première bougie.

Ali s'est assise. Elle n'en laissait rien paraître bien sûr mais elle jubilait intérieurement. Ça se sent quand votre ennemi jubile. Son regard brillait d'une lueur mauvaise.

Tandis que papa allumait une deuxième bougie, je me suis levée et j'ai soufflé sur la première.

— Diane, s'il te plaît…, soupirait mon frère.

J'ai soufflé sur la deuxième, je les ai prises toutes les deux et je les ai montées dans ma chambre.

— Diane ! Rapporte ces bougies, s'il te plaît ! ordonna mon père.

J'ai hurlé qu'il en était hors de question et j'ai fermé ma porte à clé.

Deux minutes plus tard, mon père est venu frapper à ma porte.

— Diane, ouvre ! Donne-moi ces bougies.

— Non. Elles appartiennent toujours à ma mère à ce que je sache. Elle n'en a pas fait don à Ali.

— Diane, tu descends tout de suite et tu présentes tes excuses à Ali.

— Ah, ah, ah.

Mon père est bien resté dix minutes derrière ma porte. Sa colère s'est transformée en complainte. Il me disait que je risquais de foutre son couple en l'air si je ne rendais pas les bougies.

J'étais allongée sur le lit et j'avais planqué les bougies dessous.

Richard me manquait. Je l'ai appelé. Il a dit que mon père était un salopard inconséquent. Avant de raccrocher je lui ai dit que je l'aimais.

Je me suis réveillée le lendemain matin à six heures.

Une victoire

Le foulard de maman traînait sur un des fauteuils du salon. Je l'ai ramassé et l'ai mis dans ma poche.

Sur la table basse, il restait une bougie. Je l'ai prise aussi et l'ai rangée dans mon sac, avec les autres.

J'ai appelé un taxi et je suis partie prendre le premier ferry.

Il faisait un froid de gueux mais la lumière était fabuleuse.

VERN ET DOREEN

Vern était serveur chez Halley, un bar un peu sombre et endormi. Quelques types en costume s'y arrêtaient parfois. Des types qui sortaient de leurs bureaux situés à quelques pas, sur Hillford, le quartier d'affaires.

Vern avait trente-trois ans et travaillait là depuis six mois. Il gardait rarement sa place plus d'un an à cause de son sale caractère. Pour l'instant, son patron, Arnold Halley, n'avait pas eu à se plaindre de lui.

Deux employés de banque d'une trentaine d'années venaient de s'installer au comptoir et commandèrent deux scotchs.

— Tu l'as rencontrée où ? demanda l'un.

— Dans la rue. Je lui ai demandé mon chemin. On a bavardé deux minutes et on est allés boire un verre. Le lendemain je suis allé l'attendre à la sortie du restaurant où elle travaille.

— Elle est serveuse ?

— Oui.

— Vous vous voyez où ?

— Maintenant on se donne rendez-vous à l'entrée du parc et on va à l'hôtel.

— Elle est mariée ?

— Oui.

Le type finit son verre en une gorgée et en commanda un deuxième. L'autre gars jouait machinalement avec le sien sur le bar.

— Ne me juge pas, Anne ne veut plus baiser depuis qu'elle a accouché.

— Non, non, je ne te juge pas, je comprends, dit l'homme en jetant un œil autour de lui.

Si les quelques clients neurasthéniques étaient perdus dans leurs pensées, Vern, lui, n'avait manqué aucune miette de la conversation, et feignait de lire le journal déplié sur le comptoir.

— Je préférerais ne pas la tromper. Je l'aime. Les autres, la petite Doreen, j'en ai rien à foutre.

Le plus jeune (peut-être ne l'était-il pas mais il y avait une candeur dans son regard que l'autre semblait avoir perdue depuis longtemps) écoutait et observait son ami comme un gosse qui vient d'arriver dans un nouveau collège et souhaite être admis dans le club. Il acquiesça avec soumission et déférence.

— Tu veux un autre verre ? proposa le plus vieux.

— J'aimerais bien mais je dois rentrer.

— Quelle heure est-il? demanda-t-il en jetant un œil sur sa montre. J'ai rendez-vous dans vingt minutes avec Doreen. Tu ne veux pas attendre encore dix minutes?

— Désolé, je ne peux pas... Je suis déjà en retard.

Il descendit du tabouret de bar et fouilla dans sa poche.

— Laisse, je t'invite, fit l'autre.

Le jeune partit et l'autre demanda un café à Vern.

Après avoir servi son client, Vern appela sa femme. Il était dix-neuf heures, elle devait avoir fini son service et être rentrée à la maison.

Elle était serveuse dans une cafétéria de l'Avenue A.

Vern détestait cet endroit. Trop d'hommes. Des hommes comme collègues, des hommes comme clients.

Hier soir, ils s'étaient encore chamaillés pour cette histoire vieille de deux ans. C'était après le dîner, comme chacune de leurs disputes. Doreen débarrassait toujours à peine avalée la dernière bouchée de son dîner puis allait s'allonger sur le canapé devant la télé en feuilletant des magazines.

Vern restait assis à table, fumant sa cigarette loin de Doreen pour ne pas l'incommoder, la chaise tournée vers sa jeune épouse comme pour mieux guetter ses réactions et ses éventuels mensonges.

Ça avait commencé par un simple commentaire

de Vern. Mais Doreen le connaissait bien, et connaissait parfaitement le ton qu'il prenait dans ce cas-là. Et ce que ça signifiait.

— Comment va Tony ?

— Tony ? Comme d'habitude ! Il a râlé toute la journée, pourquoi ?

— Pour rien…

— Merde Vern ! Tu ne vas pas être jaloux de Tony ?

— Tony n'est pas si mal.

— Tony est marié à Gloria qui travaille à la cafétéria ! Bon Dieu, Vern. Pas ce soir. Je suis épuisée.

— Et c'est parce qu'il est marié à Gloria qu'il ne se passe rien entre vous ? S'il n'était pas marié, qu'est-ce qu'il se passerait ?

— Mais rien !

— Pourquoi ? Essaie de me donner une réponse satisfaisante et je te laisse tranquille.

— Oh, oh ! Tu veux dire que si je trouve une réponse satisfaisante tu ne me feras plus de scène ?

— Disons, plus de scène à propos de Tony…

— C'est bien ce que je pensais…

— Doreen, réponds-moi.

— Parce que… je ne sais pas ! Parce que je t'aime ! Parce que Tony est Tony ! Il ne me plaît pas, et je ne pense pas à ça quand je le vois ! Ça te va ?

Vern baissa les yeux sur la nappe et rassemblait avec son index les miettes de pain en un petit tas.

– Chéri, je t'aime, dit-elle. C'est toi que j'aime, tu comprends ?

Ça finissait souvent comme ça, dans le meilleur des cas.

Doreen se leva et vint s'asseoir sur ses genoux. Elle dispersa en grimaçant la fumée de la cigarette que Vern écrasa dans le cendrier.

– Je t'aime, chéri. C'est vieux tout ça maintenant. Il faut oublier ! Ça n'arrivera plus. Tu m'entends ?

– Hmm, hmm.

– Tu me crois ?

– J'ai du mal. Mais je vais essayer.

Elle l'embrassa sur tout le visage et quand elle réussit à lui arracher une esquisse de sourire, elle retourna dans son canapé. Et Vern repartit dans ses doutes.

Derrière le comptoir, Vern dut raccrocher le téléphone avant que Doreen ait pu lui répondre car le type voulait payer. Il attendit que le client s'en aille et composa une nouvelle fois son numéro. Il y eut les cinq sonneries habituelles avant que le répondeur ne se mette en route. Chaque fois qu'il appelait chez lui et qu'il entendait ce fichu répondeur, l'angoisse montait aussitôt.

Au cours des disputes les plus violentes, Doreen lui disait qu'il était fou. Un malade bon à enfermer et qu'elle allait le quitter. Et dans ces moments-là, dans ces moments de crise où l'angoisse surgissait

et qu'il la sentait s'amplifier sans pouvoir la contrô-
ler, il lui donnait raison. Sa violence, même s'il ne
l'avait jamais dirigée contre Doreen, l'effrayait.

Cet incident, l'infidélité de Doreen, avait transformé son caractère, et sa vie. Vern était un homme
doux et tranquille et cette histoire avait fait de lui
un type instable et inquiet.

À travers la vitrine du bar, Vern vit le type en
costume gris héler un taxi.

Il traversa la salle, se dirigea vers une porte située
dans le fond, et y frappa deux coups brefs avant
d'entrer. Un vieil homme était assis dans un fauteuil
en cuir plus haut que lui derrière un bureau rempli
de paperasse. Une télé était allumée.

– Monsieur Halley, il faut que je parte tout de
suite, ma femme a eu un malaise.

L'homme d'une soixantaine d'années, aussi large
que haut, se leva en maugréant.

– Tu m'emmerdes, Vern, vas-y, qu'est-ce que tu
veux que je te dise ! Reviens vite sinon je vais devoir
prendre un remplaçant.

– Merci, monsieur Halley.

Vern attrapa sa veste et fila. Dans la rue, l'homme
en costume entrait dans un taxi. Vern fit signe à
celui qui passait devant lui et y monta avant même
que le chauffeur ait eu le temps de s'arrêter.

– Suivez ce taxi, s'il vous plaît ! Ne le perdez
surtout pas !

De temps à autre le chauffeur lui jetait un regard dans le rétroviseur.

– Ça va pas ? demanda-t-il.

– Si. Merci.

– J'veux pas avoir de problèmes moi, monsieur. J'veux pas d'histoire louche ou je ne sais quoi. Je suis pas Robert de Niro, vous comprenez ? Je suis un chauffeur de taxi tranquille avec famille et tout ! Je préfère vous prévenir tout de suite. Ah ben il s'arrête là ! Qu'est-ce qu'on fait ?

– Attendez !

– Je me gare ?

– Non, ralentissez, ralentissez juste !

– Ah bah je peux pas ralentir comme ça au milieu de la voie ! Il y a des gens derrière !

Vern se dévissait la tête pour voir le type en costume sortir du taxi et rejoindre l'entrée d'un petit square en se recoiffant les cheveux d'une main. Mais le taxi avançait et Vern n'eut pas le temps de voir si la personne à qui le type faisait signe dans le square était sa Doreen.

Vern se retourna et croisa le regard du type à la surface du rétroviseur.

– Ça va pas fort, hein ! lança le chauffeur.

Le type avait le nez levé vers son rétroviseur et attendait plus ou moins une réaction. Vern lui adressa un vague sourire et tourna la tête vers la vitre. Le chauffeur ne dit plus un mot du trajet et déposa Vern devant chez lui.

Il s'arrêta devant le petit miroir de l'entrée et se recoiffa, comme il avait vu faire ce type quelques minutes plus tôt. Il était fébrile et ses mains tremblaient. Il savait que, si Doreen n'était pas là, il allait passer un sale moment.

— Doreen ? Chérie ?

La maison était silencieuse.

Vern avança jusque dans la cuisine, puis dans la pièce qui servait de salon et de salle à manger, ouvrit même la porte des toilettes et monta à l'étage en criant son nom. Personne dans la chambre, ni dans la salle de bains, ni même dans la baignoire derrière le rideau de douche.

Il retourna dans la chambre et s'assit sur le rebord du lit. Il prit son visage entre ses mains et pleura.

Après un moment, il essuya ses joues, ses yeux et son menton avec la manche de sa veste et descendit dans le salon.

Il resta debout devant la console où était posé le téléphone, et composa un numéro.

— Bonjour, c'est Vern…

— Salut Vern, c'est Tony, qu'est-ce qu'il se passe ? Y'a un problème ?

— Est-ce que Doreen est encore là, j'ai oublié de lui dire quelque chose ce matin.

— Elle est partie, Doreen ! Il est sept heures et demie ! Elle est partie avec Gloria.

— Ah, d'accord. Dans ce cas, je l'attends.

— Ça va, Vern ? T'as une drôle de voix !

Vern et Doreen

— Ça va, j'ai eu un malaise au boulot, je suis rentré, mais là ça va mieux.

— Ah bon. Bon, ben, passe nous voir un de ces jours, ça fera plaisir.

— Oui... Ça me ferait plaisir aussi de te voir, Tony. Au revoir.

Il raccrocha, s'assit dans le canapé, posa le téléphone sur ses cuisses et composa un nouveau numéro.

— Maman ? C'est moi.

— Bonjour mon chéri, qu'est-ce qui se passe ?

— Ça ne va pas.

— Oui, je l'entends à ta voix. C'est entre toi et Doreen ?

— Oui.

— Il s'est passé quelque chose de nouveau ?

— Non.

Vern se frottait le front si énergiquement qu'il se laissait des traînées rouges.

— C'est toujours cette vieille histoire qui te perturbe ?

— Oui.

— Aaahhh... Il faut que tu passes à autre chose, mon fils. Que tu pardonnes, et que tu fermes ce dossier. Tu lui as pardonné, n'est-ce pas ?

— Oui. Mais ça me fait mal quand j'y pense, maman, ça me fait un mal de chien. Et je n'arrive pas à m'empêcher d'y penser.

— Chéri, penses-y toute ta vie si c'est ce que tu

155

veux! Si ça t'amuse… Mais tu es en train de te gâcher la vie, et on en a qu'une.

— Je sais, maman.

— Je sais que tu sais! Excuse-moi, chéri, mais ça fait deux ans, et je ne trouve plus rien de neuf à te dire pour te consoler. Même moi j'ai réussi à lui pardonner et à oublier le mal qu'elle a fait à mon fils! Alors tu devrais y arriver!

Vern sourit.

— Ah tu souris! J'aime ça, t'entendre sourire. Ça me rend toujours heureuse, tu sais? Tu veux parler à ton père?

— Non… le dérange pas.

— D'accord, en plus il tond la pelouse, ce qui le rend toujours de mauvaise humeur! Viens nous voir un de ces jours, avec Doreen si tu veux.

— Hmm… OK, maman. Je t'aime. Embrasse papa.

Vern alla se servir une bière dans le Frigidaire. Dans le salon, il alluma la télé, se pencha sur la table basse pour prendre la télécommande et se laissa tomber dans le canapé. Il tenait d'une main sa bière posée sur sa poitrine, et de l'autre la télécommande.

C'est dans cette position, endormi, que Doreen le retrouva à son retour.

— Vern?

— Je me suis endormi…

— Qu'est-ce que tu fais ici? Halley t'a viré?

— Non! J'ai eu un petit malaise et je suis rentré.

Vern et Doreen

Il se redressa dans le canapé et Doreen vint s'asseoir près de lui. Elle avait encore son imperméable sur elle et tenait quelques sacs de shopping.

— Ça va mieux ? Quel genre de malaise ? Tu as appelé un médecin ?

— Non, ça va mieux, je t'assure, et toi ?

— Oh, moi ça va !

Elle se leva, posa ses sacs sur la table et alla accrocher son imperméable dans l'entrée.

— Je suis allée faire quelques courses. Je t'ai acheté une chemise. Et des caleçons neufs. Et moi je me suis acheté des bas. Voilà.

— Tu étais avec Gloria ?

— Non.

— Tony m'a dit que tu étais avec elle.

— Tu as appelé le restaurant ?

— J'ai eu un malaise comme je viens de te le dire, je voulais te prévenir que je rentrais à la maison, c'est tout ! Et Tony m'a dit que tu étais partie avec Gloria.

— Oui, je suis partie en même temps qu'elle vu qu'on finit notre service à la même heure mais après on est allées chacune de notre côté, elle avait des trucs à faire.

— Et toi ?

— Quoi, moi ?

— Toi, tu as fait quoi ?

— Eh bien je te l'ai dit, chéri, je devais m'acheter des bas, alors je suis allée chez Barney's et j'ai traîné dans les rayons, et je t'ai acheté des caleçons, parce que j'en ai marre de te voir avec tes vieux trucs informes, et puis j'ai aussi trouvé cette chemise.

— Merci, chérie.

— Tu n'es pas viré, chéri, n'est-ce pas? dit-elle en s'asseyant à nouveau près de lui et lui caressant tendrement le visage.

— Non! Je te le jure!

— Alors tout va bien?

— Tout va bien!

— Je t'aime Vern.

Doreen quitta le salon, s'arrêta devant le petit miroir de l'entrée, et passa son majeur sur sa bouche comme pour en estomper le rouge à lèvres.

POPPY

— Bonjour Poppy, entrez je vous prie.

— Bonjour docteur.

— Installez-vous ! Voilà… Alors, où en étions-nous restés ?

— Euh… Je ne sais plus.

— Voyons… alors… oui, vous concluiez par « en fait tout va bien » !

— Ah bon ?

— Oui.

— Euh… Je ne sais pas quoi dire là, vous pouvez me poser une question ?

— Eh bien, comment allez-vous, par exemple ?

— En fait pas très bien… Mais c'est tellement bête que je n'ose même pas en parler. Est-ce que je vous ai parlé du garçon, celui qui ressemble à un acteur, la dernière fois ?

— Oui. C'est le garçon qui vient d'emménager au-dessus de chez vous. Vous disiez que depuis qu'il était là vous n'osiez plus aller dans le jardin commun, c'est bien ça ?

— Oui.

— Mais à la fin de la séance dernière vous aviez convenu que c'était stupide et que vous y retourneriez. Y êtes-vous retournée ?

— Non.

— Pourquoi ?

— Euh… Parce que je le trouve beau ?

— C'est une question que vous me posez ?

— Eh bien… Je me demande juste si c'est une réponse satisfaisante.

— Oui ! Bien sûr !

— C'est tellement ridicule ! C'est tellement bête d'être perturbée à ce point à cause d'un garçon… Il est très beau, il ressemble… D'ailleurs je suis sûre qu'il est acteur et je… j'aimerais… j'aimerais pouvoir retourner dans le jardin. Il fait beau en ce moment, et j'aime bien y lire.

— Eh bien, retournez-y.

— Oui. Je vais y retourner.

Le lendemain après-midi, Poppy était chez elle et lisait sur le canapé du salon. Elle portait un short en jean et un haut de maillot de bain à rayures bleues et blanches.

Au bout d'un moment, elle se redressa et posa son livre sur la table. Elle resta assise, le dos courbé, les

coudes appuyés sur ses jolies cuisses galbées d'adolescente.

Sa mère était derrière elle, dans une longue robe
en voile transparent et peignait des cercles verts et
jaunes sur une toile posée sur un chevalet.

— Qu'est-ce que tu as, chérie ? Ça ne va pas ?

— Si. J'ai chaud.

— Va dans le jardin, il y a plus d'air en bas.

Poppy se leva et alla se regarder dans la glace de la
salle de bains. Elle inspecta ses petites dents
blanches puis tomba comme une feuille morte sur
le tapis de bain. Deux minutes après elle se releva en
prenant appui sur la baignoire.

— Merde…

— Ça va, chérie ? cria sa mère.

— Oui.

Elle se recoiffa, regagna la grande pièce, prit son
livre, lança « À toute'man » et sortit.

Il n'y avait personne dans le jardin. Poppy déplaça
un des transats de façon à avoir la tête au soleil, et le
reste du corps dans l'ombre que dessinait le seul
arbre du jardin. Elle s'allongea et entreprit la lecture
de *Dalva*.

Une dizaine de minutes plus tard, elle entendit
des voix joyeuses et masculines se rapprocher. Elle
se redressa légèrement et prit un air concentré.

Deux garçons d'environ dix-sept ans arrivèrent
dans le jardin.

Après l'avoir saluée d'un bref mouvement de tête, ils s'assirent sur le banc devant la table en bois abritée d'un parasol et y posèrent leurs bières.

— Tu veux une bière ? lui demanda l'un d'eux.

— Non merci, répondit-elle.

À partir de ce moment-là, Poppy fut incapable de se concentrer sur sa lecture et relut la même page pendant la demi-heure qu'elle resta dans le jardin.

Chaque fois que leurs voix baissaient, Poppy retenait sa respiration pour mieux les entendre. Et, lorsqu'ils riaient, elle se demandait si c'était d'elle.

Quand ils quittèrent le jardin, elle posa son livre sur son ventre et observa le mur de son immeuble en suivant de son index le trajet de la gouttière.

Le lendemain, il faisait encore très chaud. D'ailleurs, il allait faire chaud comme ça tout le mois d'août. C'était un temps à lire dans un petit jardin agréable à l'ombre d'un arbre, par exemple.

Poppy prit son livre et son Walkman et descendit dans le jardin.

Elle s'installa comme la veille. La tête au soleil.

Elle plaça les écouteurs dans ses oreilles et monta le volume à son maximum.

Le garçon arriva seul. Elle lut sur ses lèvres quand il la salua. Elle se demandait si elle devait se redresser ou faire quelque chose. Comme elle hésita trop longtemps, elle renonça à faire quoi que ce soit.

Elle se demandait aussi si elle devait ôter ses

oreillettes, au cas où il aurait l'intention de lui faire la conversation. Et puis ça lui semblait plus correct. Alors elle les enleva. Le garçon avait lui aussi apporté un livre et le lut pendant un long moment.

Voyant qu'il ne se passait rien, Poppy avait remis ses oreillettes et la musique, mais moins fort, histoire de rester joignable, au cas où.

À un moment, le téléphone portable du garçon sonna.

— Pardon ? demanda Poppy en se redressant.

Le garçon lui fit signe qu'il était au téléphone puis il se leva et partit.

Poppy se rallongea, haussa le son de la musique suffisamment fort pour ne plus rien entendre du reste du monde.

Le lendemain, Poppy traînait chez elle. Elle entendait monter des rires du jardin.

— Pourquoi tu ne descends pas ? Il y a des jeunes en bas ! dit la mère.

— J'aime pas quand tu parles comme ça… des jeunes…

— Tu veux que je les appelle comment ?

— Je sais pas.

— Vas-y, chérie, tu tournes en rond.

— J'ai pas envie. Je ne les connais pas.

— Eh bien, va faire connaissance ! Tu veux que je vienne ?

Poppy sourit à sa mère.

– Je t'ai dit que je vais exposer mes tableaux chez Luca ?

– Le petit restaurant italien ? Chouette.

Poppy se tourna et sa bouche se tordit en un léger rictus.

Elle s'avança vers la fenêtre, se pencha et posa ses coudes sur le rebord. Elle était en angle droit, les fesses légèrement en l'air, les jambes écartées. Elle semblait dans un équilibre parfait. Sa mère la regarda. Elle sourit et se remit à peindre.

Poppy voyait le groupe d'adolescents, une demi-douzaine, chahuter dans le petit jardin. Le garçon la vit à sa fenêtre et lui fit signe de descendre. Elle recula en portant ses mains devant sa bouche et tomba au sol comme une poupée molle. Sa mère courut vers elle, glissa une main sous sa nuque et lui caressa la joue.

Après quelques secondes, Poppy reprit ses esprits.

– Ils sont toujours là ?

– Oui. Tu veux descendre les rejoindre ?

– Oui.

*

– Bonjour Poppy. Installez-vous.

– Bonjour docteur.

– Alors ? Ou en étions-nous restés ?

– Je ne sais plus trop, mais aujourd'hui ça va.

– C'est une excellente nouvelle. Racontez-moi.

Poppy

— Eh bien, je suis devenue amie avec ce garçon, vous savez…

— Celui que vous trouvez très beau…

— Oui.

— Bien ! Vous êtes contente ?

— Ben oui ! Il est très gentil en fait. Il est mannequin. Il y avait des amis à lui l'autre jour. Que des mannequins. J'étais la seule normale. Je veux dire…

— Je vois. Il a votre âge ?

— Deux ans de plus. Il m'a invitée demain à aller se balader avec eux.

— Vous aimeriez avoir une histoire avec ce garçon ?

— Je ne sais pas, vous pensez que j'ai aucune chance ?

— Je ne crois pas du tout, non ! Vous êtes une très jolie jeune fille.

— J'ai l'impression… mais bon je ne suis pas sûre à cent pour cent, mais j'ai l'impression qu'il me drague.

— Je ne serais pas étonné.

— J'ai peur d'avoir des crises.

— Essayez de ne pas y penser, d'accord ?

— Hmm, hmm.

Le lendemain, Poppy attendit tout l'après-midi mais le garçon ne se montra pas. Et il faisait si chaud. Il n'y avait personne dans le jardin, en dehors des deux vieilles dames du troisième assises sur leurs fauteuils pliants.

L'une d'elles tenait un chat au bout d'une longue laisse, prostré sur une branche de l'arbre.

Poppy resta allongée devant la télévision toute la journée. De temps à autre, elle allait se passer de l'eau sur la nuque, et revenait dans le salon lentement, en frôlant les meubles et les murs du bout des doigts.

Elle s'allongeait à nouveau dans le canapé, changeait de chaîne sans jamais s'arrêter sur un programme plus d'une minute et retournait se rafraîchir.

Elle se disait qu'elle allait sûrement mourir d'ennui et que personne ne viendrait à son enterrement, à part sa mère.

Elle ne revit pas le garçon pendant plusieurs jours.

— Alors Poppy. Passez-vous de bonnes vacances ?

— Non. Pas vraiment.

— Vous n'allez pas partir un peu avec votre maman ?

— Non. On est trop fauchées.

— Eh bien, je ne pars pas non plus, vous voyez !

— Je suppose que c'est pas parce que vous êtes trop fauché. Psychiatre, maman m'a dit que ça gagnait bien.

— Oui, c'est ce qui se dit… Et vous savez comme moi chère Poppy qu'il y a souvent une différence entre ce que les gens disent et la réalité, n'est-ce pas ?

— Vous êtes fauché?

— Non. Mais je ne suis pas aussi riche que votre maman semble le penser. Comment va-t-elle?

— Ça va… Elle expose ses toiles bientôt.

— Oh c'est formidable! Où ça?

— Dans une galerie d'art.

— Formidable! Vous devez être contente pour elle! Bien… où en étions-nous restés?

— Je ne sais pas trop, mais là, franchement ça va pas terrible.

— Votre narcolepsie?

— Non… Je fais des siestes… Ça va à peu près. J'en ai beaucoup moins. Et les crises sont courtes. Mais, en fait, j'ai l'impression que ma vie n'est rien d'autre qu'une sieste, vous comprenez? J'en ai un peu marre en ce moment…

— Je comprends. Avez-vous revu votre ami?

— Non. Il devait venir me chercher. Il n'est pas venu.

— Vous n'avez pas de ses nouvelles.

— Non.

— C'est à cause de ça que vous ne vous sentez pas bien?

— Oui. Mais pas seulement. Ma maladie… Et les conséquences. Tout ce qui arrive à cause d'elle… tout ça… j'en ai marre.

— Votre narcolepsie n'est pas responsable du comportement de ce garçon, vous le savez? Sait-il que vous êtes narcoleptique?

— Non.

— Vous voyez !

— Oui, mais si j'avais moins peur d'avoir des crises je serais moins mal dans ma peau et je pense que je pourrais avoir des petits amis.

— Oh ! Vous pensez que les narcoleptiques n'ont pas de vie sentimentale ?

— Pour les autres, j'en sais rien. En ce qui me concerne, c'est le désert du Sahara. Hier, j'ai eu envie de disparaître tellement je m'ennuyais.

— Vous vouliez mourir ?

— Pas vraiment. Juste disparaître.

Au moment où Poppy rentrait chez elle, elle entendit le rire du garçon derrière elle, dans la rue. Les battements de son cœur cognèrent dans sa poitrine, ses tempes et son ventre.

— Hé !

— Ah, salut ! dit-elle.

— Excuse-moi pour l'autre jour. J'ai dû aller bosser. Je suis parti quatre jours. Ça va ?

— Ouais…

— Tu veux venir à un concert avec nous ?

— Eh ben… non, pas ce soir, je vais chez des amis.

— OK. Demain ?

— Oui… Je crois que je peux… Je te dirai…

Il lui avait touché le bras pour lui dire au revoir et Poppy ressentait encore des vibrations chaudes, comme s'il l'avait irradiée. Le garçon continua son chemin et Poppy entra dans l'immeuble et tomba, inanimée. Elle revint à elle quelques secondes après et se releva comme s'il ne s'était rien passé. Elle se frotta la tempe, elle s'était fait un peu mal, puis monta les marches jusqu'à chez elle en souriant. Un léger sourire éclaira son visage toute la soirée.

Le lendemain, il y eut à nouveau des bruits joyeux provenant du jardin. Et Poppy se sentait à nouveau bien vivante.

Sa mère n'était pas là. Elle était partie accrocher ses tableaux dans le petit restaurant italien où elle avait ses habitudes.

Poppy s'approcha de la fenêtre ouverte et inclina le buste jusqu'à ce qu'elle pût apercevoir qui se trouvait dans le jardin.

Il y avait une dizaine de jeunes filles et de garçons. Lui, elle l'entendait mais ne le voyait pas. Elle le devinait caché sous le parasol.

Elle resta un moment à observer le groupe. Le garçon apparut brusquement, comme s'il avait été projeté au sol.

Il retomba sur le dos et resta un moment à terre. Il riait et hurlait de douleur en même temps. Poppy se mordait les lèvres par empathie. Le garçon la vit, à sa fenêtre.

Elle eut un mouvement de recul. Elle resta immobile à quelques pas de la fenêtre puis s'en rapprocha. Le garçon avait toujours le visage levé vers elle et lui fit signe de le rejoindre.

Elle souriait doucement en hochant la tête et ferma la fenêtre.

Elle courut jusque dans la salle de bains, se recoiffa, inspira, se sentit vaciller et s'évanouit.

Des coups à la porte la réveillèrent quelques minutes plus tard.

Elle s'aspergea le visage d'eau fraîche et alla ouvrir.

— Tu viens ? demanda le garçon.

— Oui… J'arrivais là…

— C'est pas mal chez toi. C'est plus grand que chez moi.

— Je vis avec ma mère. Il y a deux chambres. Et cette grande pièce.

— Je peux voir ?

— Oui, si tu veux… C'est un peu le bazar quoi…

— Pas autant que chez moi… Je vis avec un copain et on n'est pas très portés sur le ménage.

Poppy le précédait dans la visite de l'appartement. Elle était face à lui et avançait à reculons en lui décrivant les pièces qu'ils visitaient. Elle se heurta au mur de sa chambre.

— Ça va ?

— Oui…, dit-elle en se frottant l'arrière du crâne. Et ça, c'est ma chambre.

— Je peux ? dit-il en passant la tête. Tu écoutes Supertramp ? J'adore aussi.

Poppy était appuyée contre le mur. Les mains croisées dans le dos. Elle ne répondait que par des signes de tête.

Elle aurait aimé porter autre chose que ce minuscule short en coton rouge et ce minuscule haut de maillot de bain. Mais il faisait si chaud. Et sa mère n'aimait pas trop la clim. Elle disait que c'était criminel pour l'environnement.

– Tu es très jolie. Et tu n'es pas une idiote de mannequin. Ça fait du bien.

Le garçon s'approcha d'elle en souriant. Poppy baissa la tête.

Il était si près qu'elle sentait sa chaleur et son odeur.

Elle ferma les yeux et se laissa embrasser.

Ce qu'elle avait ressenti sur l'avant-bras lorsqu'il le lui avait touché la dernière fois, elle le ressentait dans tout le corps. Du sommet du crâne jusqu'aux orteils. Et surtout dans le ventre. Ils s'embrassèrent.

Poppy était toute à ce baiser, elle pensait que c'était la chose la plus incroyable au monde. La sensation la plus délicieuse qui soit. Mais ses jambes fléchirent d'un coup et elle tomba dans les pommes.

Lorsqu'elle ouvrit les yeux, quelques minutes plus tard, elle était allongée sur son lit et découvrait le visage de sa mère au-dessus du sien.

Sa mère lui fit un clin d'œil et lui donna un verre d'eau.

– Bois ça, tu es toute rouge et brûlante.

Poppy but son verre d'une traite.

– Il faut que tu ailles rassurer quelqu'un maintenant…

Poppy fronça les yeux et se leva.

Le garçon était dans le salon, assis sur l'accoudoir du canapé. Il se leva aussitôt quand Poppy entra.

– Tu m'as vraiment foutu la trouille, dit-il. Ça va mieux ?

Poppy hocha la tête.

– On descend rejoindre les autres ?

Poppy interrogea sa mère d'un regard.

– Allez-y !

La mère attendit un peu et alla guetter sa fille à la fenêtre. Poppy apparut dans le jardin, avec le garçon qui la tenait par la main. Elle s'amusa encore un peu à observer sa fille se mêler au groupe mais recula aussitôt lorsque Poppy, comme par réflexe, leva les yeux vers elle.

TOMMY

Tom était assis sur une chaise dans la cuisine et balançait ses longues jambes maigres en les cognant contre les pieds de la table.

— Arrête! ordonna sa sœur.

Tom s'exécuta. Mais, après quelques minutes et comme malgré lui, ses jambes se remirent en mouvement, et de nouveau, cognèrent les pieds de la table.

— Tom! Arrête ça!

— Tu fais quoi? demanda-t-il en se redressant dans la chaise.

— Un sandwich.

— Tu peux m'en faire un, s'il te plaît?

— Pourquoi? Tu n'as pas de bras?

Tom ne répondit pas.

— Tu vas le manger où ton sandwich? demanda-t-il.

— Dehors.

— Tu veux regarder la télévision avec moi ?

— Oh, Tom ! S'il te plaît ne commence pas ! J'ai envie d'être tranquille avec mes amies ! Pourquoi tu ne vas pas jouer avec tes copains ?

— J'en ai pas.

— Menteur ! Tu as Jimmy, le petit Drowners, et l'autre, là…

— Ils jouent au foot et je ne sais pas jouer.

— Apprends au lieu de geindre.

— Je n'aime pas le foot.

— Si je te fais un sandwich, est-ce que tu arrêteras de faire cette tête ?

— Oui.

Rachel posa le pain de mie, le beurre de cacahuètes et la marmelade sur la table et confectionna le sandwich. Tom s'était avancé, avait posé son menton sur ses avant-bras croisés devant lui et observait avec attention chacun des gestes de sa sœur.

Quand elle eut fini, elle posa le sandwich dodu juste sous son nez et attendit.

— Merci, dit-il en le saisissant délicatement.

— Tu fais un sourire ?

Tom redressa la tête, sourit à sa sœur, chercha le meilleur côté pour attaquer son sandwich et mordit dedans.

Rachel rangea tous les ingrédients dans le Frigidaire.

— Tu vas aller dehors ?

— Ben oui, comme je te l'ai dit.

— Pourquoi vous ne venez pas à la maison regarder la télévision ?

— Parce qu'on n'a pas envie de regarder la télévision ! Tu n'as qu'à attendre maman, elle ne va pas tarder. D'accord ?

— D'accord. Mais si elle décidait de ne pas rentrer ?

— Chéri, c'est arrivé une fois, rien qu'une fois et ça n'arrivera plus. OK ?

Elle posa sa main sur la tête de son frère, et leva l'autre.

— Je le jure sur la Bible, dit-elle. Alors arrête de l'attendre comme ça et va jouer dehors. OK ? Moi, j'y vais.

Tommy porta le sandwich à ses lèvres et en préleva un infime bouchée du bout des dents.

Rachel quitta la cuisine et Tommy laissa son sandwich sur la table. Quelques minutes plus tard, une voix de garçon retentit dans la maison.

— Rachel ?

— Elle n'est pas là, dit Tommy.

— Ah, salut Tommy ! fit le garçon.

— Salut.

— T'es tout seul !

— Hun hun…

Ryan hocha la tête d'un air perplexe.

— Elle est où, ta sœur ?

— Je sais pas. Dehors.

Ryan regarda autour de lui.

— T'as pas un truc à manger ? Je meurs de faim.

— Vas-y, dit Tom en haussant les épaules.

Ryan ouvrit un placard et en sortit un paquet de biscuits.

Il appuya ses fesses contre le rebord du plan de travail et entreprit de manger ses biscuits.

— Tu sors pas jouer avec tes copains ?

Tommy fit non de la tête.

Sans quitter le petit du regard, Ryan mit son index dans sa bouche pour déloger un morceau de biscuit coincé entre deux dents du fond puis suça son doigt.

— Ben dis donc, si j'étais ta mère je te laisserais pas tout seul comme ça à ronger du noir.

— On dit à « broyer » du noir.

— C'est pareil.

— Tu fais beaucoup de bruit quand tu manges.

— Désolé !

Tommy tourna légèrement la tête sur le côté, donnant quelques coups d'œil vers l'adolescent, son visage, puis ses baskets, et sur le paquet de biscuits déjà à moitié englouti, puis reprit sa position, le menton posé sur ses bras croisés.

Il plissa ses lèvres, dilata ses narines et fronça le nez. Il s'amusa à souffler bruyamment par le nez et à gonfler ses joues. Puis il souleva la tête et donna des petits coups de menton sur ses avant-bras.

Ryan avala un dernier biscuit, rangea le paquet,

ouvrit le Frigidaire, s'empara d'une bouteille de jus d'orange et but de longues et sonores gorgées à même le goulot. Puis il revissa le bouchon, rangea la bouteille et sortit sans un regard pour Tommy.

— Espèce de gros porc..., souffla l'enfant.

Il se leva et alla essuyer avec le devant de son tee-shirt le goulot de la bouteille de jus d'orange.

Puis il se mit à dessiner des formes avec son doigt sur la porte fermée du Frigidaire en fredonnant.

L'instant d'après, il entendit la porte s'ouvrir. Il arrêta de chanter et garda la bouche ouverte et sa main en suspens. Une voix féminine demanda s'il y avait quelqu'un et l'instant d'après une jeune fille apparut dans l'encadrement de la porte de la cuisine.

Tommy baissa la main, ferma la bouche.

— Bonjour Tommy, ça va? demanda la jeune fille blonde.

— Ça va, répondit Tommy dont les pommettes s'enflammèrent.

Il s'approcha de l'évier et passa sa main sous les gouttes qui s'écoulaient du robinet.

— Rachel n'est pas là?

Tommy gonfla les joues et fit non de la tête. Ses pommettes se pâlirent enfin et il se retourna brusquement, le menton haut et fier.

Melany s'approcha de lui et lui passa la main dans les cheveux.

— Cette année on va aller à la piscine, lâcha-t-il.

— Oh, c'est super ! Tu sais nager ?

— Non, mais j'ai appris à plonger. Et je sais rester plus de sept minutes la tête sous l'eau. Sans respirer.

— Waouh !

— Est-ce que Lili sait nager ?

— Oui.

Melany regardait le garçon et lui souriait avec inquiétude.

— Pourquoi tu ne viens pas à la maison la voir de temps en temps après l'école ? Elle t'aime bien, tu sais. Tu devrais venir un de ces jours, je suis sûre que ça lui ferait plaisir.

Tommy se tourna, colla son ventre contre la table et caressa la toile cirée avec de grands gestes aléatoires.

— Tu diras à ta sœur que je suis passée la voir ?

Elle lui parlait de manière si douce, si légère.

— Tu sais, chéri, si j'étais toi, j'irais plus souvent jouer dehors avec mes amis. Ce n'est jamais bon de rester enfermé tout seul quand on est petit. D'accord ?

Tommy acquiesça en hochant la tête comme un petit automate et retourna s'asseoir.

Il prit son sandwich du bout de ses doigts déliés et écartés, comme si c'était la seule façon pour lui de saisir des choses, comme s'il ne parvenait pas à s'en emparer complètement, fermement, et le porta à sa bouche.

– Je dois d'abord finir mon sandwich, dit-il.

– D'accord !

– La jeune fille l'observa un bref instant et partit.

Le garçon ne resta pas seul longtemps. Sa mère, cette fois, rentra.

Il le sut à sa façon d'ouvrir la porte, rapide, sans hésitation, et au bruit des clés déposées dans le petit pot en étain de la console dans l'entrée, puis à ses pas serrés et brefs, piétinant le carrelage, tandis qu'elle ôtait son manteau, posait son sac, et enfin, à sa voix.

– C'est moi !

Tommy abandonna son sandwich sur la table et courut jusqu'à elle.

– Mon chéri, ça va ? Ta sœur est là ?

– Non, elle est dehors. Je peux te réciter la table de 7 ?

– Vas-y, je t'écoute ! dit-elle en allant dans le salon, talonné de son fils récitant sa leçon.

Elle s'arrêta devant la table du salon et y ramassa un tas d'enveloppes qu'elle entreprit d'ouvrir. Après un rapide coup d'œil sur certaines d'entre elles, elle jeta les lettres sur la table, se tourna et se heurta à Tommy, juste derrière, déclamant sa leçon avec difficulté et trous de mémoire.

– Oh pardon, chéri !

– … *7x3, 21, 7x3… 26. 7x4…*

Sa mère était dans la cuisine à présent et cherchait quelque chose dans le Frigidaire.

— Ryan a bu à la bouteille, dit Tommy.

— Ce qu'il est agaçant, ce gamin, je n'aime pas qu'il vienne ici quand je ne suis pas là. Tu as goûté, chéri ? Tu veux une tartine ?

Tommy s'installa sur sa chaise, croisa ses bras devant lui et posa son menton sur ses avant-bras.

— Oui, je veux bien.

Il n'y a plus de bière pour Bobby

Ce jour-là il pleuvait des cordes et j'attendais mon bus sous l'auvent du restaurant.

La circulation était difficile à cause de travaux de réparation d'une conduite de gaz. Les voitures étaient à l'arrêt depuis quelques minutes et les conducteurs commençaient à klaxonner.

En face de moi, un type au volant d'une Montego jaune occupait son temps à me regarder. Je le voyais mal, parce qu'il était dans sa voiture et qu'il pleuvait. Il me semblait beau garçon, un peu frimeur. Il s'est penché vers la portière passager, l'a ouverte et m'a fait signe de le rejoindre.

Je me suis approchée. Il faisait jour, il y avait des tas de gens, je ne risquais rien.

– Vous voulez que je vous dépose ? m'a-t-il demandé.

J'ai réfléchi à peine deux secondes et j'ai grimpé dans la Montego.

— Vous habitez où ?

— Au coin de Canal et Elizabeth, ai-je répondu.

— Pas très loin de chez moi.

On a attendu que la circulation reprenne et l'on a roulé.

— Pete, a-t-il fait en me tendant la main.

— Amy.

— Vous êtes à tomber par terre, Amy.

— Merci.

— Vous avez quelqu'un ?

— Oui.

Il a passé sa main dans ses cheveux bruns, très épais, coiffés en arrière, et il a regardé par sa fenêtre. J'ai regardé aussi par la mienne. Il me rappelait quelqu'un mais je n'arrivais pas à me souvenir de qui.

— Vous êtes exactement mon style de femme, a-t-il dit, un peu navré.

J'ai dégagé une mèche de mon front en faisant mine de n'avoir rien entendu.

— Vous faites quoi dans la vie ? ai-je demandé.

— Vous n'écoutez pas de musique, hein !

— Ben, si. Comme tout le monde.

Il a tourné son visage vers moi et me regardait fixement. Je me doutais qu'il essayait de me faire comprendre quelque chose mais je ne voyais pas du tout quoi.

Il a pris une cassette et l'a glissée dans l'autoradio. C'était Pete O'Neil qui jouait *One Trip Two*

Lips. J'aimais bien ce morceau. D'accord, je venais de comprendre. J'ai souri.

— Je suis désolée, ai-je fait.

— Aucune importance.

— Je vous ai pas reconnu, vous êtes différent en vrai, je ne sais pas...

— Aucune importance.

Il regardait la route, droit devant lui, et moi j'ai de nouveau tourné la tête vers ma fenêtre.

On est arrivés. Il a arrêté la voiture.

— Vous voulez venir me voir jouer ?

— Je veux bien.

Il a fouillé dans la poche intérieure de sa veste et en a sorti deux places de concert.

— Il y en a deux, comme ça tu peux venir avec ton copain.

On s'est serré la main et je suis descendue.

L'appartement était en désordre. Ça faisait deux jours que je n'avais pas fait le ménage. J'ai allumé la télé et je suis allée fumer une cigarette sur le canapé. Je suis restée un bon moment à rêvasser et puis j'ai pris mon courage à deux mains et j'ai commencé à ranger. Bobby allait arriver dans moins d'une demi-heure.

Bobby et moi on s'est connus à seize ans. Il n'avait jamais connu d'autre femme. Moi j'avais eu une petite histoire avec un client du restaurant où je travaillais mais rien de grave.

183

Bobby est pompier et un très gentil garçon en dehors du fait qu'il était trop amoureux de moi. Moi je l'aimais aussi, bien sûr, mais je dirais que la nature de mon amour était d'ordre fraternel. J'avais déjà tenté d'en discuter avec lui mais il ne voulait pas en entendre parler. « Tu n'as qu'à me quitter », disait-il.

Je ne trouvais jamais rien à répondre à part : « Pour aller où ? » Ou bien : « Et je fais comment après, je ne gagne pas assez. » Ou encore : « Je ne crois pas que je pourrais vivre seule. » Mais tout ça je le gardais pour moi.

Ce soir-là, Bobby est rentré avec un bouquet de fleurs. Moches. J'imagine que lui les avait trouvées jolies. Je trouve qu'il n'y a rien de plus sinistre qu'un bouquet de fleurs moches. Je trouve qu'il vaut mieux pas de fleurs du tout.

Pendant le dîner, il m'a proposé de m'emmener le lendemain chez Marthie's.

— C'est chouette, mais en quel honneur ?

— Pour rien ! J'ai envie de t'emmener dans un bel endroit. J'ai décidé qu'on irait dîner de temps en temps dans de beaux endroits.

— Si tu veux. Tu as été augmenté ?

— Non, mais je ne veux pas qu'on s'enferme dans une petite vie, je ne veux pas qu'on fréquente des endroits médiocres juste parce que ce n'est pas cher.

— Tu parles de chez Jo ? Moi j'aime bien chez Jo.

Il n'y a plus de bière pour Bobby

— Vraiment ?

— Oui, j'aime bien, je t'assure !

Bobby me regardait curieusement. J'avais presque fini mon assiette. Je jetai un œil sur celle de Bobby. Il avait à peine entamé son steak.

— Qu'est-ce qu'il y a ?

— Rien.

Je me suis levée et je suis allée fumer une cigarette sur le canapé, les pieds nus, croisés sur l'accoudoir. Je m'amusais à écarter mes orteils et à regarder la tête de Bobby à travers.

Bobby a jeté ses couverts dans son assiette et s'est renfoncé dans son siège.

— Qu'est-ce qu'il y a, chéri ?

— J'ai pas fini ! J'ai juste pas fini de manger et tu quittes la table pour aller fumer !

— Pardon.

J'ai écrasé la cigarette et je suis allée le rejoindre à table.

— Tu ne devineras jamais qui m'a raccompagnée à la maison ce soir.

— Non, alors vaut mieux que tu me le dises tout de suite.

— Oh, ce que t'es pas drôle ! Essaie au moins de deviner ! Pose-moi des questions !

Bobby triait les légumes du bout de sa fourchette.

— Je ne sais même pas quelle question te poser.

— Pete O'Neil.

— Qui ?

— Pete O'Neil.

— Sais pas qui c'est.

— Un chanteur.

— Il t'a draguée ?

— Oui. Il m'a dit que j'étais pile son type de femme.

— Et bien tu n'as qu'à aller le rejoindre et il te sautera avec tous ses musiciens.

— C'est très con ce que tu dis.

Il s'est levé et est allé se coucher.

À sa place, je n'aurais pas réagi comme ça. À sa place, je serais allé casser les dents de ce chanteur qui drague ma petite amie.

Le lendemain, en attendant mon bus, j'ai un peu guetté la rue si je ne voyais pas une Montego jaune.

Mais non. J'ai pris le bus pour rentrer.

J'ai aussi regardé si elle n'était pas garée dans le coin, près de chez moi, là où il m'avait déposée la veille.

J'ai pris un bain et j'ai pensé à Pete. Le concert était ce soir. Mais je savais que je n'allais pas y aller. J'aurais adoré mais il me semblait que c'était comme tromper Bobby. Et ce n'était pas le moment.

Quand il est rentré, j'étais en pyjama, allongée dans le canapé et je feuilletais un magazine féminin en fumant une cigarette.

— Tu n'es pas prête ?

— Pour?

— On va chez Marthie's ce soir!

— Oh merde! J'avais complètement oublié…

— J'ai réservé la table à huit heures. Vais me doucher. À moins que tu n'aies plus envie d'y aller? criait-il du couloir.

— Si, si.

Je suis allée voir dans le placard ce que je pouvais me mettre. Je n'avais tellement pas envie d'y aller que je me suis habillée avec ce qui me tombait sous la main. Il faut me comprendre aussi. J'avais une vie de con. Je travaillais comme serveuse dans un restaurant. J'aurais adoré être autre chose mais j'ai toujours manqué d'ambition. Toujours est-il qu'être serveuse c'est très fatigant. Alors, le soir, j'étais épuisée, et si ce n'était pas pour faire un truc particulièrement excitant, je préférais rester à flemmarder à la maison.

Aller chez Marthie's avec Bobby ne faisait pas partie des trucs excitants.

Je me suis coiffée et maquillée de mauvaise grâce et j'ai enfilé une paire de mocassins en daim que je n'aurais probablement pas choisie si j'avais été de meilleure humeur. J'étais prête avant lui et je suis allée l'attendre sur le canapé, les pieds sur la table à manger des bretzels. Ça me faisait de la peine pour Bobby d'être aussi mal lunée. Mais, en même temps, je ne me souviens pas avoir fait beaucoup d'efforts pour changer quelque chose à ça.

La soirée a été aussi épouvantable que je l'avais imaginée. Bobby a parlé toute la soirée et ce qu'il disait ne parvenait à moi que sous la forme d'onomatopées. Il était très excité d'être chez Marthie's et se comportait comme s'il était dans un endroit merveilleux. Un mot sur Marthie's : c'est un restaurant sur Broadway avec de la moquette bariolée au sol, de sinistres paysages aux murs, des espèces de candélabres en cuivre avec de fausses bougies, des serveurs aux cheveux sales qui portent leurs serviettes sur l'avant-bras pour vous faire croire que vous êtes dans un établissement chic, et une clientèle de vieux couples et de touristes égarés qui n'osent pas parler trop fort.

Je n'avais pas aimé la cuisine de Marthie's. Je veux dire qu'elle n'était pas meilleure que chez Jo qui est bien moins cher. Bobby a adoré. Il a même dit que c'était très fin. « *Très fin.* »

N'importe quoi.

Il a tellement parlé qu'il ne s'est même pas rendu compte que je m'étais ennuyée.

– Tu as assez mangé ?

– Oui, merci.

– C'était délicieux, hein ? Ça valait le coup, non ? C'était très fin.

En sortant du restaurant, il m'a serrée dans ses bras et m'a dit qu'il m'aimait. J'ai serré les lèvres, plissé les yeux, m'efforçant de sourire.

Il n'y a plus de bière pour Bobby

Le lendemain, en quittant le travail, j'ai un peu regardé autour mais sans grande conviction. Et puis j'ai vu la Montego jaune s'avancer et s'arrêter à ma hauteur. Pete a ouvert la portière et je l'ai rejoint dans la voiture.

— Je t'ai cherchée hier.

— Je n'ai pas pu venir.

— T'as le temps de venir boire un verre?

— Oui.

On est allés chez lui. Il habitait au troisième dans un petit immeuble en briques près du square Tompkins sur l'Avenue A.

Il a mixé des fruits et a ajouté de la vodka.

C'est le meilleur cocktail que j'aie jamais bu.

On s'est allongés sur son lit, tout habillés avec les chaussures et on a un peu bavardé. C'était paisible et doux. Je voulais rester avec lui.

— Je ne peux pas quitter mon ami comme ça, lui ai-je dit.

— On peut prendre notre temps.

— Ça ne servira à rien, ça lui fera autant de peine. Il m'aime vraiment beaucoup.

À la fin, il a posé son verre par terre de son côté du lit puis il s'est tourné vers moi, a pris mon verre, que je tenais sur mon ventre et l'a posé de son côté. J'attendais ce qui allait se passer ensuite, immobile, les mains désœuvrées sur mon ventre.

Le soir, ça a été très dur de me retrouver en tête à tête avec Bobby. Je l'ai trouvé plus laid que d'habitude. Tarte aussi.

— Tu es sûre que tu m'aimes toujours ?

— Mais oui, Bobby ! Bien sûr !

Je me suis endormie sur son épaule en cherchant un moyen de rompre sans trop de heurts.

Au café où je travaillais, j'avais sympathisé avec une fille qui s'appelait Barbara. Une petite blonde mignonne que le patron adorait parce qu'elle était toujours très souriante avec les clients, contrairement à moi. Je prenais souvent ma pause avec elle, sauf quand j'étais trop mal lunée.

C'était la fille la moins compliquée que je connaisse. Tout lui convenait. Si je voulais me balader sur Madison, elle était partante, si je voulais m'arrêter fumer une cigarette sur un banc au soleil, elle était ravie, si je préférais rester dans l'arrière-cour manger un sandwich, assise sur une marche devant les bennes à ordures, elle trouvait ça parfait. C'était à la fois agaçant et sidérant.

— Tu veux venir boire un verre chez moi après le boulot ? lui ai-je demandé.

Elle mettait du temps à répondre. Et ce n'était pas parce qu'elle mâchait une bouchée de son sandwich. Elle hésitait.

— T'as quelque chose de prévu ?

— Non ! Non !

Il n'y a plus de bière pour Bobby

— Tu ne veux pas venir ? Tu as rendez-vous avec un homme ?

— Non, non !

Elle a avalé sa bouchée et s'est essuyé le coin des lèvres du bout de son index.

— Ben, alors ! Viens ! On écoutera de la musique et on dansera. Je pourrais te prêter des fringues si tu veux.

— Bon, d'accord !

En mettant la clé dans la serrure je me suis excusée du désordre.

Je lui ai servi une bière, j'ai jeté mon paquet de cigarettes sur la table, j'ai mis la musique, et je lui ai dit de faire comme chez elle.

Je suis allée dans la chambre, j'ai rangé vite fait mes vêtements préférés dans un sac, puis je l'ai rejointe après avoir posé mon sac dans l'entrée.

J'ai bu une bière avec elle, on a un peu bavardé mais elle n'était pas à son aise. Alors j'ai roulé un joint et on l'a fumé à la fenêtre parce que Bobby déteste ça. Je me faisais l'effet d'une débauchée à côté d'elle.

On a bu une autre bière. Barbara avait les joues roses et commençait à se détendre.

Je suis allée dans la cuisine et j'ai crié :

— Il n'y a plus de bière pour Bobby !

Je suis revenue dans le salon, j'avais attrapé ma veste au passage.

– Je descends en chercher à l'épicerie, tu ne bouges pas, OK ? J'en ai pour deux secondes.

Barbara a hoché la tête en souriant. Elle était assise sur le canapé, sur le bout des fesses, et tenait sa bouteille de bière coincée entre les genoux. Je me suis approchée d'elle, j'ai recoiffé une mèche de ses cheveux et je suis retournée dans l'entrée. J'ai ramassé mon sac et je suis descendue.

J'ai cherché la Montego, elle était garée comme prévu, devant le coiffeur.

J'ai couru jusqu'à elle, le cœur serré et battant.

Je suis montée.

On s'est embrassé et il a démarré.

– Attends, ai-je dit.

Bobby arrivait au loin, la démarche lourde. Le pauvre, il travaillait parfois si dur.

J'ai eu un pincement de cœur.

Il a ouvert la porte de l'immeuble et a disparu à l'intérieur.

– C'est bon ? a demandé Pete.

– Non, attends encore une minute.

J'ai levé les yeux jusqu'à notre fenêtre, au deuxième. J'ai vu la silhouette de Bobby passer devant la fenêtre. C'est tout.

– Ça va ? m'a dit Pete.

– J'espère qu'ils se plairont.

J'ai posé ma main sur la cuisse de Pete et on est partis.

MA VIE PAISIBLE

Quand nous avons emménagé dans cette maison, c'était dans le but de faire des enfants et de les élever dans un environnement sain et paisible. C'est ainsi qu'on imaginait cette banlieue et c'est probablement ce qu'elle est pour des tas de gens.

Claire a tout de suite été séduite par les allées de charmes qui bordaient la route. Elle se sentait hors de danger dès qu'elle pénétrait sous la charmille. Elle adorait voir les enfants du voisinage faire du vélo devant chez eux sans risquer de se faire écraser, enlever ou aborder par un dealer de crack. C'était comme si la voûte de ces arbres lui assurait une protection divine.

Les maisons se tenaient à l'écart, à quelques dizaines de mètres de la route. On pouvait penser qu'elles étaient toutes l'œuvre du même architecte même s'il semblait s'être donné du mal pour qu'elles aient leur caractère propre.

193

La nôtre était à bardeaux blancs et l'entrée se situait sous un majestueux porche à colonnes. Elle dégageait, comme toutes les maisons alentour, un faste pompeux, et chaque fois que je gravissais les trois marches du perron, je me sentais comme un pathétique nouveau riche. Claire voyait la chose avec beaucoup plus de fraîcheur d'âme.

À New York, nous habitions un appartement agréable mais bruyant et inadapté à une vie de famille. Nous ne nous en doutions pas en le quittant, mais nous y vécûmes nos plus belles années.

Claire travaillait dans une grosse agence de pub, moi, j'étais journaliste pour un magazine automobile au bord de la faillite. Sans son salaire, jamais nous n'aurions pu louer une maison pareille.

Ses parents souhaitaient nous l'offrir. J'étais bien sûr tout à fait opposé à cette idée. Question d'amour-propre.

Pendant une longue période, son père appelait presque chaque jour pour tenter de me convaincre. Au début, le ton était cordial ; nous étions tous deux assez civilisés pour cacher, aux yeux de nos proches, notre haine réciproque. Je riais de bon cœur (parfois avec excès comme me le reprochait Claire) à ses blagues stupides et lui souriait nerveusement aux miennes en se tirant le lobe de l'oreille. Mais un soir, devant mon entêtement, M. Parton (colonel Parton comme je l'appelais) perdit son sang-froid, et des mots regrettables et définitifs furent échangés.

En moins d'une minute, je passai de « cher David » à « espèce de loser ». Je le laissai dire ; il était si excité à l'autre bout du fil qu'un mot mal placé de ma part lui eût valu une attaque. Je me contentai de lui raccrocher au nez, mais l'effet fut le même, comme nous l'apprit son épouse qui nous appela de l'hôpital quelques heures après.

Au bout d'une semaine, le colonel était sur pied, mais les médecins avaient été formels : pas de contrariété. Il ne chercha donc plus à entrer en contact avec moi.

Cela m'affecta peu. En revanche l'attitude de Claire changea de manière spectaculaire. Elle se montrait distante, parfois hautaine, et de moins en moins intéressée par ma personne. Elle revenait de plus en plus tard du travail et rapportait souvent des dossiers, ce qui lui permettait de s'isoler dans son bureau la majeure partie de la soirée, tandis que j'errais comme une âme en peine dans notre immense maison.

Claire commençait à m'effacer de sa vie.

Dans son esprit, quitter notre petit appartement pour cette grande maison bourgeoise signifiait un changement de statut. Je notais même un léger accent snob qu'elle n'avait pas lorsque nous habitions en appartement.

Pourtant, nos salaires n'avaient pas augmenté,

surtout le mien, hélas, et nous fréquentions les mêmes amis, les mêmes restaurants, les mêmes supermarchés.

Avant ce déménagement et la guerre avec le colonel Parton, Claire me témoignait un amour inconditionnel, passionné et de chaque instant. Elle était douce et adorait jouer l'épouse tendre et docile. Dans la rue, elle marchait collée à moi, son bras encerclant ma taille. Et mon pas tranquille et sûr imposait la cadence. J'étais un homme comblé.

J'avais décidé, en l'épousant, de m'arrêter à elle. Elle possédait tout ce que je souhaitais. En réalité je ne souhaitais pas grand-chose si ce n'était le calme, une vie familiale joyeuse et chaleureuse, griller des saucisses au barbecue avec des amis et partir en voilier autour du monde avec Paul, Deborah et Edouard, les trois enfants que nous avions planifiés. Rien d'excessif, en somme. Claire semblait vouloir la même chose.

Nous sommes restés six mois dans cette maison, et nous n'avons pas fait un seul barbecue ni le moindre petit enfant. Mais je suppose qu'un climat aussi tendu devait être néfaste à la procréation.

Il m'arrivait d'en rêver la nuit, surtout après que nous nous étions disputés. Je voyais mes troupes de spermatozoïdes assaillir l'ovule-forteresse de ma femme et se faire repousser par les troupes armées du colonel Parton.

Les jours qui suivirent notre emménagement, alors que la situation ne semblait pas encore irréversible, Claire me proposait souvent d'aller rendre visite à nos voisins comme elle pensait qu'il était coutumier de le faire dans ce genre de banlieue.

Nous étions au lit. Claire examinait ses dossiers derrière ses lunettes et moi je pensais à mon article sur la prochaine voiture du mois. J'hésitais entre un merveilleux petit coupé Ford Thunderbird, parfait pour le célibataire que je n'étais plus, et un Chevrolet HHR, idéal pour la famille nombreuse que je n'avais pas encore.

Une fois de plus, ce soir-là, elle évoqua le projet de se présenter à nos voisins.

— Et si on leur faisait des petits bonshommes en pain d'épice ? ai-je suggéré. On mettra des raisins secs pour faire les yeux.

Claire s'est tournée vers moi et m'a jeté un regard de tueuse par-dessus ses lunettes.

— Je suis sérieux !

— Tu n'es pas drôle, David. Tu es toujours en train de te moquer de moi. De moi et du reste d'ailleurs.

— J'étais sérieux. Mais tant pis. Je ferai les bonshommes tout seul.

Je me suis retourné, et j'ai entendu le soupir de Claire.

Quelques jours après, Berit Taviani sonnait à notre porte. Claire était dans son bain, je suis allé lui ouvrir.

Berit me dépassait d'une demi-tête, elle devait donc mesurer un mètre quatre-vingt-trois. Elle avait la nonchalance de quelqu'un que rien ne semblait pouvoir troubler.

Elle avait une petite trentaine d'années, des traits nets et fins, les yeux dorés et de longs cheveux lisses et blonds. Elle était d'une beauté hypnotisante.

L'extrême beauté des femmes m'a toujours rendu stupide et il me faut lutter pour n'en rien laisser paraître. Il s'agit pourtant moins d'intérêt sexuel que de fascination pour le hors norme, la rareté, l'exceptionnel.

Elle était l'opposé de ma Claire, petite femme dont le haut du crâne arrive précisément à la hauteur de mon aisselle. (Nous avions remarqué cela un jour de désœuvrement). Claire a les cheveux châtains et ondulés, un visage enfantin, un visage miniature, un teint pâle et un air un peu fragile.

Berit voulait savoir si le petit vélo qu'elle tenait à la main, abandonné devant chez elle depuis plusieurs jours, nous appartenait.

— Non, ai-je fait. Nous n'avons pas d'enfants.

— Nous non plus, a-t-elle souri. Alors je vais continuer mes recherches. Vous connaissez des gens qui ont des enfants dans le voisinage ?

— À vrai dire on vient d'emménager et vous êtes la première personne du coin que je rencontre.

Nous sommes restés quelques minutes à bavarder sous notre porche magistral. Elle parlait doucement, comme si le temps lui appartenait. Avant qu'elle ne parte, nous avons convenu de nous revoir avec nos conjoints respectifs.

— Qui était-ce ? demanda Claire quand je la rejoignis dans la salle de bains.

— La voisine.

— Oh, raconte ! Elle est comment ?

— Chouette.

Pendant plus de trois semaines, nous n'eûmes pas de nouvelles de nos voisins, et nous n'en donnâmes pas davantage à cause de nos emplois du temps trop chargés. Il m'arrivait pourtant de repenser à la beauté de Berit. En réalité, j'y pensais du matin au soir.

Puis, un soir, Michael Taviani pressa son doigt sur notre magnifique carillon cuivré.

Je n'étais pas encore rentré du travail et Claire me raconta leur rencontre pendant que nous dînions, à même la boîte, de plats du traiteur chinois.

— Il voulait nous inviter à prendre un verre chez eux. Mais je suis sûre que ça venait de sa femme.

— Il était désagréable ?

— Non, pas vraiment, mais on sentait que c'était une corvée pour lui.

— À quoi il ressemble ?

— À rien. Pas très grand, pas très beau non plus. Il a une tête comique, avec une voix nasillarde… Alors j'ai dit OK pour demain.

— Demain on va dîner chez Annah et Paul.

— Merde, tu as raison ! Tu te charges de leur dire ?

J'acquiesçai d'un grognement, me réjouissant, *in petto*, de revoir Berit. J'essayais d'imaginer la tête de son mari et les raisons d'une femme comme elle d'épouser un petit comique. Mais je ne cherchai pas longtemps. L'argent, bien sûr.

Le samedi matin, j'allai sonner chez nos voisins.

Berit m'ouvrit. Elle déclara que son mari venait juste de sortir et qu'elle était ravie de nous recevoir ce soir.

— En fait Claire avait oublié que nous étions invités ailleurs, je suis désolé…

Le téléphone sonna à l'intérieur. Berit s'excusa et partit décrocher.

Après un bref silence, son beau visage se figea et ses grands yeux clairs s'emplirent d'effroi. Par empathie, j'exprimai la même terreur. Elle porta la main à sa bouche, puis devant les yeux. Je tâtais mes poches, regardais mes pieds, à la recherche d'une contenance. C'était une situation délicate, j'étais partagé entre m'éclipser et rester pour je ne sais pas… lui apporter une aide quelconque, lui montrer quel genre d'homme j'étais.

– Où ? demanda-t-elle à son interlocuteur, dans quel hôpital ?

Du pas de la porte, je lui faisais signe que je repasserais mais elle agitait la main pour me faire comprendre de rester.

– Vous avez une voiture ? me demanda-t-elle en raccrochant.

– Oui. Une Saab 9.3. Aero V6. J'ai toujours eu un faible pour les Saab.

– Vous pouvez m'accompagner à l'hôpital ? Mon mari vient d'avoir un accident.

Elle prit son sac et me suivit jusqu'à la maison.

– J'en ai pris une pour ma femme aussi, déclarai-je en sortant de ma poche les clés de la maison. La version cabriolet.

Claire entendit la porte s'ouvrir et cria de l'étage :

– Alors ? Ils ont dit quoi ?

– Claire, je suis avec notre voisine, Berit et...

J'entendis les pas de Claire à l'étage et elle apparut en haut des marches, le visage masqué sous une épaisse couche de pâte verte.

– Quoi ?

Elle me regardait, incrédule, en descendant l'escalier, et découvrit Berit sur le pas de la porte. Elle s'arrêta à mi-chemin et tira sur son vieux tee-shirt UCLA qu'elle portait le week-end.

– Qu'est-ce qui se passe ? demanda mon épouse.

– Claire, je te présente Berit, notre voisine... Je

201

vais la conduire à l'hôpital, son mari vient d'avoir un accident.

— Je suis désolée qu'on se rencontre dans des circonstances pareilles, dit Berit.

Claire ne trouva rien à ajouter. Moi non plus, d'ailleurs.

— David, on y va? chuchota Berit en me touchant le bras.

J'envoyai un baiser à Claire et emmenai Berit jusqu'à ma Saab garée dans l'allée.

— En réalité elle n'est pas verte, ai-je dit en agitant ma main devant mon visage.

Berit n'a pas semblé saisir ma plaisanterie. Elle m'a juste regardé.

L'hôpital était à Illburg. À quinze minutes en voiture à peu près. On a roulé sans échanger un mot pendant les dix premières minutes. Je cherchais un sujet de conversation, mais, dans son état, je craignais qu'elle ne soit pas réceptive à la dernière voiture du mois, pourtant plébiscitée par plus de quatre-vingt-dix pour cent des femmes.

— C'est grave? ai-je tenté.

— Je ne sais pas! a-t-elle soupiré.

Puis elle a fondu en larmes. Je m'en suis voulu et je n'ai plus dit un mot.

Après m'être garé sur le parking de l'hôpital, je lui ai demandé si elle voulait que je l'attende. Elle est sortie de la voiture et avant de fermer la portière m'a dit que ce serait tellement gentil.

Au bout d'une heure, je suis sorti me dégourdir les jambes. J'ai fumé quelques cigarettes, et j'ai compté les différents modèles de voitures sorties avant 2005. J'ai calculé que quatre-vingt-cinq pour cent des voitures de ce parking étaient sorties avant 2005. Comme il n'y avait pas grand-chose de très excitant à conclure de ce bilan, j'ai écrasé ma dernière cigarette, et je me suis dirigé vers l'entrée de l'hôpital.

Quelques minutes après je frappai à la porte de Taviani.

— Oh, mon Dieu! a fait Berit en me voyant. Je vous avais complètement oublié.

— Aucune importance! ai-je menti. Bonjour, monsieur.

— Chéri, c'est notre voisin, David. Il m'a gentiment accompagnée en voiture jusqu'ici et je l'ai oublié!

J'ai balayé sa gêne d'un geste de la main.

Le type avait les deux bras et les deux jambes dans le plâtre mais le reste semblait OK. J'ai serré les dernières phalanges de ses doigts qui dépassaient du plâtre, pour le saluer.

— Comment est-ce arrivé? ai-je demandé.

— Un con m'est rentré dedans. C'est mon cinquième accident en deux ans. J'ai peur chaque fois que je rentre dans ma voiture maintenant. Je vais m'acheter un putain de tank et le prochain fils de pute qui frôle ma voiture je lui roule dessus!

J'ai souri.

Berit était assise tout près du lit de son mari et lui caressait le plâtre. Au mur, il y avait une photo d'un paysage bucolique par temps orageux. Quelque chose de sinistre. Face à nous, une télé allumée et sans le son diffusait une émission sur les grenouilles.

Berit et son mari ont échangé quelques mots en italien.

— *Chérie,* geignait-il comme un vieil enfant capricieux, *pourquoi il reste là ? Dis-lui de partir. Dis-lui de partir à cet abruti ! Je ne veux pas qu'on me voie dans cet état ! Tu comprends ?*

— *Pourquoi tu parles comme ça ? Il est gentil ! Il m'a accompagnée et m'a attendue plus d'une heure ! Calme-toi, chéri.*

— *Pourquoi je devrais me calmer ? Il est là à attendre que je tombe dans le coma pour pouvoir te sauter dessus ! Dis-lui de partir ! Ah, j'ai si mal…*

Berit s'est tournée vers moi et m'a lancé un sourire compatissant. Son mari reporta hypocritement son attention sur le reportage sur les grenouilles.

— Je dois y aller, ma femme va s'inquiéter, ai-je murmuré, comme s'il y avait un mourant dans la pièce.

Berit s'est levée pour me remercier et Taviani a remué à mon attention ses doigts dépassant du plâtre.

Au moment où j'ouvrais la portière de ma Saab, j'ai entendu quelqu'un courir derrière moi et m'appeler. C'était Berit.

— Je peux rentrer avec vous?

— Bien sûr!

— Une infirmière est venue le chercher pour des examens, il y en a pour longtemps. Je reviendrai demain.

Elle replaça une mèche de cheveux derrière son oreille et me sourit.

— J'ai couru, j'ai eu peur que vous soyez parti!

Sur le chemin du retour, on a un peu plus parlé qu'à l'aller. Elle m'a appris qu'elle avait connu son mari à dix-huit ans. Elle travaillait comme hôtesse d'accueil dans un de ses restaurants.

— C'est un grand chef, vous savez. Mais c'est un métier très dur. Ça le rend très nerveux. Je suis inquiète pour lui quand il prend la voiture. Il a tout le temps des accidents et quand il n'en a pas, il s'arrange pour se battre avec un automobiliste et il revient avec le nez en sang ou autre chose. Il n'est pas très grand, mais il est très nerveux. Vous viendrez dîner à la maison dès qu'il sera sorti. Je suis sûre que vous deviendrez amis. Il peut être très drôle!

— Les Italiens sont souvent très drôles.

Je l'ai laissée devant chez elle. Elle a tendu son visage vers le mien et m'a déposé un baiser reconnaissant sur la joue.

— Je suis si heureuse d'avoir des voisins comme vous!

Je suis rentré à la maison.

Claire avait retiré son masque vert et déjeunait

d'une assiette de légumes vapeur devant le journal télévisé.

— Eh bien ! Qu'est-ce que tu fichais ?

— Je l'ai accompagnée à l'hôpital et elle m'a demandé de l'attendre alors je l'ai attendue.

— Ah bon… Tu as faim ?

— Un peu.

— Il doit y avoir quelques trucs à la cuisine, tu veux de l'aide ?

Elle était absorbée par la télé et ne me prêtait qu'un minimum d'attention. Je n'ai rien répondu pour voir si elle s'en inquiéterait, mais non.

— Comment as-tu trouvé Berit ? ai-je hasardé en allant vers la cuisine. C'est une belle fille, non ?

Je me suis préparé une assiette de poulet froid que j'ai mangée seul dans la cuisine. J'ai pensé que ce serait bien d'avoir un chien. Il serait là, couché à mes pieds, et j'aurais quelqu'un à qui parler.

Depuis deux mois que nous étions installés, nous n'avions fait l'amour que trois fois.

— Chérie, ai-je dit ce soir-là. Je suis en période d'ovulation, je crois que c'est le moment.

— David, tu n'es pas drôle…, marmonna-t-elle derrière son roman.

— Je croyais que tu voulais des enfants ?

— Pas ce soir, chéri…

— Pas de problème, je vais mettre mon stérilet.

— David ! soupira-t-elle en posant son livre sur le drap. Pourquoi faut-il que tu plaisantes de tout ?

— J'essaie d'attirer ton attention. J'ai le sentiment que tu ne m'aimes plus.

— Qu'est-ce que tu racontes? Bien sûr que si!

— Tu ne veux plus d'enfants. On s'était installés ici pour en avoir, et on ne fait plus l'amour! Et honnêtement je ne connais pas d'autre moyen pour en faire. Et toi?

— Chéri, j'ai énormément de travail en ce moment. Je ne sais pas si je t'en ai parlé mais Glenn m'a proposé de passer associée…

— C'est formidable! Fêtons ça, ai-je suggéré en posant une main sur son sein.

— … or, si je tombe enceinte maintenant, ça risque de tout compromettre, tu comprends?

Je ne savais pas si je devais ôter ou non ma main de son sein. Mais comme elle ne disait rien, je l'y ai laissée, et j'ai eu un début d'érection.

— Tu m'en veux? minauda-t-elle.

— Non, chérie.

— Je t'aime, me dit-elle en reprenant sa lecture.

— Alors peut-être devrais-tu reprendre la pilule, comme ça on pourrait refaire l'amour.

— J'ai pris rendez-vous avec mon gynéco pour qu'il me pose un stérilet.

— Je peux très bien me retirer, ai-je fait en palpant son sein. Je ne suis pas un débutant.

— David, je suis désolée, je n'ai vraiment pas envie.

Elle a retiré ma main et s'est tournée de l'autre côté.

Le lendemain soir, Claire devait rentrer plus tard. Au bout d'une heure, je tournais en rond dans la maison. Alors je suis allé sonner chez Berit, pour prendre des nouvelles de son mari dont je n'avais rien à faire. J'avais juste envie de parler à une personne agréable.

– Oh, David! Ça me fait plaisir, entrez!

– Je voulais avoir des nouvelles de votre mari, comment va-t-il?

– Pas très bien. Il voudrait changer d'hôpital, il s'est fâché avec les infirmières. Il est furieux... Il crie beaucoup et j'ai peur pour son cœur. Vous voulez un thé? Un whisky? Un jus de légumes?

– Je veux bien un whisky.

– Votre femme est à la maison?

– Non. Elle travaille souvent tard.

On a parlé pendant plus de deux heures. Berit a le don de vous faire croire que vous êtes l'homme le plus passionnant de la terre.

Quand je suis rentré à la maison, Claire était au téléphone. Elle a raccroché quand elle m'a vu entrer dans le salon.

– Bonsoir, chéri.

– Bonsoir. Tu es là depuis longtemps?

– Depuis une heure.

Elle était bizarre. Aimable, étrangement aimable et souriante.

— J'étais chez les voisins.

— Comment va M. machin-chose ?

— Pas terrible.

— Et elle ?

— Ça va mieux.

— Tu as de la chance que je ne sois pas jalouse, lança-t-elle en montant à l'étage. C'est une très jolie fille, du peu que j'en ai vu. Et tu passes beaucoup de temps avec elle. J'espère que tu ne me trompes pas !

— Bien sûr que non !

— Je plaisantais.

Elle prenait cet horrible accent snob.

J'ai cogité quelques minutes et je l'ai rejointe dans la salle de bains. Elle était en train de se déshabiller. Je me suis appuyé contre le mur, les bras croisés.

— Je crois que ça m'ennuie que tu ne sois pas jalouse. Je veux dire, à ce point. Berit est une très belle femme, et j'ai passé la soirée avec elle et…

— David, je ne peux pas être jalouse ! dit-elle en rentrant voluptueusement dans son bain.

— Pourquoi ?

— Parce que… parce que c'est comme ça.

— Tu ne crois pas qu'une femme comme Berit puisse avoir des vues sur moi ?

Claire a éclaté de rire. Elle a ri pendant un petit

moment, puis elle s'est arrêtée, et a remis ça encore un instant. J'ai quitté la salle de bains.

– Oh, David, pardonne-moi ! Ce n'est pas ce que tu crois. David !

Je ne sais pas ce qui me troublait le plus, que ma femme mette en doute mes capacités de séduction, ou que moi j'en doutais tout autant.

Séduire est une option que je n'ai pas. Ce n'est pas dans mon tempérament. Ça ne l'a jamais été. Et c'est pour ça que Claire ne pouvait pas être jalouse.

Un soir, alors que je dînais seul devant un match de baseball, Berit est venue sonner à la porte.

– David, j'ai un petit souci à la maison, tu peux venir voir ?

– J'arrive.

J'ai attrapé ma veste, éteint les lumières et je l'ai suivie.

– Je n'ai plus d'électricité, dit-elle en ouvrant sa porte.

Le salon et le reste de la maison étaient plongés dans l'obscurité. Quelques bougies éclairaient faiblement la grande pièce. J'ai tout de suite pensé, présomptueux que j'étais, à une mise en scène de sa part, qu'elle allait se jeter sur moi, et me susurrer d'une voix rauque des choses cochonnes à l'oreille. Mais Berit m'avait précédé dans la cuisine et m'attendait devant le placard où se trouvait le tableau électrique.

— Il y a tellement de boutons là-dedans que j'ai peur de faire une bêtise ! gloussa-t-elle.

J'appuyai sur l'interrupteur général et la lumière fut.

— Oh, j'étais sûre que c'était le gros rouge ! Merci David, tu es un amour. As-tu dîné ?

— J'étais en train.

— Je vais nous faire des pâtes. Tu aimes les pâtes ?

— J'adore les pâtes ! Comment as-tu deviné ?

Elle éclata de rire.

Ce fut encore une fois une merveilleuse soirée et je songeais à son emplâtré de mari, si chanceux de vivre au côté d'une femme comme elle. Je me sentais si bien. Je n'avais aucune envie de rentrer chez moi. J'y étais soit seul, soit colocataire d'une femme qui ne m'aimait plus.

De temps à autre, je guettais à travers les arbres qui séparaient nos maisons s'il y avait de la lumière chez moi.

Je n'avais pas laissé de mot. Je me demandais si elle s'inquiéterait. L'attente de son retour gâchait mon plaisir et je décidai de rentrer.

— Je peux te poser une question ? ai-je demandé, sur le pas de la porte.

— Bien sûr !

— Est-ce que je te plais ? Je veux dire, est-ce que l'idée de coucher avec moi t'est déjà venue à l'esprit ?

— Euh… waouh ! Je ne sais pas quoi te dire…

— Oublie, excuse-moi, c'était stupide. Bonne nuit, Berit.

La maison était sombre. Aucune lumière n'était allumée sauf celle de la cuisine, où elle se trouvait. Elle était au téléphone et tournait le dos à l'entrée, sa veste encore sur elle. Je n'entendais pas ce qu'elle murmurait, pas plus qu'elle ne m'entendit entrer. Je toussai pour signaler ma présence et elle fit volte-face en poussant un cri.

— David! Merde! Ce n'est pas drôle!

— Je ne jouais pas… Bonsoir, chérie. Je vais me coucher.

J'ai vécu une semaine dans le brouillard. Je pense avoir frôlé la dépression. J'avais quarante ans, pas d'enfant, et si ça continuait ainsi je me disais que j'aurais l'âge de porter des couches en même temps qu'eux.

Comme voiture du mois, j'avais choisi le Chevrolet. Contre l'avis de Franck, mon patron.

— Le numéro est consacré aux coupés sport, David.

Il refusa la familiale et choisit la Thunderbird. J'ai eu l'impression que mon sort était scellé. Pas de familiale, donc pas de famille.

Si au moins mon travail m'avait passionné.

Ma vie paisible

J'ai appelé Claire à son bureau. Je lui ai demandé de rentrer plus tôt ce soir-là.

— Je crois qu'on a des trucs à se dire, ai-je dit.

— Je crois aussi.

Elle est rentrée à huit heures. J'avais préparé le dîner. Elle était d'une humeur exécrable et me fit sentir que c'était un énorme sacrifice pour elle d'être rentrée si tôt.

Son téléphone sonna en même temps que le carillon de l'entrée. Elle me fit un signe du menton pour que j'aille ouvrir, et s'éloigna avec son téléphone.

C'était Berit.

— David, je n'arrête pas de penser à ce que tu m'as dit la dernière fois, me soupirait-elle en caressant le col de ma chemise.

— Pardon? dis-je en sortant et fermant la porte derrière moi.

— Ta femme est là?

— Oui, pour une fois.

— Oh, je suis désolée! Je suis désolée! Je m'en vais… Je repasserai un de ces jours…

Je laissai cette femme sublime s'éloigner dans mon allée et en éprouvai une certaine gloire.

— Qui était-ce? demanda Claire.

— Berit, la voisine, ai-je fait en refermant la porte.

— Qu'est-ce qu'elle voulait?

— Me dire qu'elle n'arrêtait pas de penser à l'idée de coucher avec moi.

— Arrête, s'il te plaît, que voulait-elle ?

— Elle n'a rien dit d'autre.

— Tu es usant, David. De quoi voulais-tu me parler ? Moi aussi il faut que je te parle.

La visite de Berit m'avait donné un regain d'assurance et redoré un peu mon ego. J'étais prêt à tout entendre, tout encaisser.

Ce soir-là, Claire m'annonça qu'elle avait une liaison depuis six mois. Elle avait espéré qu'en déménageant ça lui passerait, mais non.

Plus elle m'en parlait, plus elle était calme et apaisée. On n'avait pas discuté comme ça depuis des siècles.

— Voilà, conclut-elle. Je suis désolée... Je suis triste. Très triste.

— C'est la vie, ai-je dit.

On est restés silencieux pendant quelques secondes. Je regardais mes genoux pendant que Claire m'observait.

— Tu es incroyable. Tu ne protestes pas, tu n'essaies rien ! dit-elle.

— Ça servirait à quelque chose ?

— Je ne sais pas... Peut-être...

— Alors quitte-le et faisons des enfants.

— Non, David, ce n'est pas possible.

— Ah, OK ! C'était juste pour m'humilier encore un peu...

— Non ! Pas du tout ! Je t'assure, David, je suis si désolée...

Je me suis levé et me suis dirigé vers la porte.

— Qu'est-ce que tu fais ?

— Je pense que je vais coucher avec Berit.

Elle leva les yeux au ciel.

— Tu ne me crois pas, n'est-ce pas ? Tu n'imagines pas qu'une fille comme elle puisse me désirer, moi, et tu ne conçois pas que je puisse te tromper, quoique, maintenant, on ne puisse plus appeler ça tromper puisque tu viens de me quitter !

— David... S'il te plaît.

— Donc si j'allais maintenant coucher avec Berit tu n'y verrais aucun inconvénient, en tout cas pas plus que tu n'en voyais lorsque tu couchais avec ton type juste avant de me retrouver, le soir dans notre lit ?

— Si tu sors de cette maison maintenant...

— Aucune importance, ai-je fait en montant à l'étage. J'attendrai demain, quand tu ne seras pas là. Je te laisse la chambre, je vais dormir dans la chambre des enfants que nous n'aurons pas, donc.

Je suis monté me coucher et me suis endormi en pensant que rien n'était perdu, ni gagné d'ailleurs. Mais il me semblait avoir marqué un point.

Le lendemain, j'appelai Berit du bureau. Elle rentrait de l'hôpital. Elle était chamboulée et nous parlions comme si nous étions déjà amants. Le ton était tendre et intime, et je dus parler à mi-voix pour ne pas être repéré par des collègues du bureau. Je lui ai dit que je la rejoignais dans une heure.

Je n'avais qu'une idée en tête, être nu contre Berit, et jouer sous les draps avec elle. En m'annonçant qu'elle me trompait et me quittait, Claire m'autorisait et me libérait de toute culpabilité. Pourtant, il me semblait qu'il fallait faire vite. Je craignais un éventuel revirement de sa part et je ne voulais pas me priver d'un plaisir qui promettait d'être divin. Je quittai donc le bureau et roulai jusqu'à la belle Berit.

Elle m'accueillit en larmes ; de son côté, elle n'avait nulle autorisation, et malgré ses sentiments violents, comme elle me le répétait, à mon égard, la culpabilité l'empêcha de me donner plus que quelques baisers passionnés mais salés de larmes et entrecoupés de hoquets.

Je suis resté près d'une heure. Nous nous embrassions fougueusement, nous palpant le corps comme des affamés, puis, soudain, elle s'interrompait et s'effondrait de nouveau. Alors je la calmais, l'embrassais, la consolais de me désirer et de m'aimer et nous nous embrassions de nouveau.

C'était une situation à la fois très gratifiante et terriblement frustrante.

Après une demi-heure de lutte, nous avons atterri sur le tapis du salon, à moitié nus, épuisés et hirsutes. À nous voir, on aurait juré que nous venions de faire l'amour six fois de suite.

Le téléphone se mit à sonner et je me rhabillai pendant qu'elle parlait avec son mari.

Nous avons convenu, enfin, surtout elle, de ne plus nous voir.

Je n'ai rien trouvé à redire. Je n'étais pas amoureux d'elle. Je l'étais de ma femme qui me quittait.

Je suis rentré à la maison, à la fois étourdi et démoralisé. Je ne voyais pas où avait été crédité le point que j'avais marqué la veille.

Claire était à l'étage. J'entendais ses talons marteler la moquette de notre chambre. Je suis monté. Elle était en train de faire ses valises. Elle a juste tourné la tête vers moi quand je suis rentré dans la pièce. Elle m'est passée devant pour aller dans la salle de bains. Je l'ai suivie. Elle rangeait tous ses flacons et pots de crème dans une trousse.

Je me suis assis sur le rebord de la baignoire, l'air coupable.

— Tu étais chez elle ?

— Oui.

— C'était bien ?

— Tu tiens vraiment à le savoir ?

Claire me lança un regard oblique.

— En fait, non.

Elle rangea un dernier pot dans sa trousse et quitta la salle de bains. J'y restai.

— Mais tu vois, je ne peux pas m'empêcher de trouver ça dégueulasse, criait-elle de la chambre. Moi, j'ai couché avec quelqu'un qui ne te connaît pas et que tu ne risques pas de croiser un jour. Toi, tu choisis la voisine. Je trouve ça ignoble, dit-elle en apparaissant à la porte de la salle de bains alors que je m'apprêtais à en sortir.

Elle repartit de nouveau dans la chambre. J'attendis quelques secondes avant de la rejoindre.

– Tu pues son parfum.

Je tirai le col de ma chemise et le reniflai. Ça sentait bien le parfum de Berit. Je me suis assis sur le lit.

– Tu vois, ce que j'aurais fait à ta place, j'aurais cherché à comprendre pourquoi c'est arrivé, je t'aurais parlé, j'aurais tout fait pour que tu arrêtes de la voir, au lieu de ça, tu t'es servi de ce prétexte pour aller sauter la première venue.

– Ce n'est pas exactement ce qu'il s'est passé, Berit... Claire pardon...

J'ai fermé les yeux et attendu le coup de grâce.

– Pauvre con, a-t-elle soupiré.

Elle a bouclé ses deux valises et a quitté la chambre avec. Elles étaient si lourdes qu'elle parvenait à peine à les soulever de terre. Je la regardais s'éloigner, claudiquant, et je la trouvais risible.

– Donne, je vais t'aider, ai-je fait en glissant mes doigts dans les poignées des valises.

Je descendis les valises jusqu'au bas de l'escalier.

– Qu'est-ce qu'il se passe ensuite ? ai-je demandé, après avoir posé les valises.

– Rien. Je te quitte, c'est tout.

– Ah! OK, ai-je acquiescé en hochant la tête. Est-ce que je peux encore dire ou faire quelque chose qui te fasse changer d'avis?

Claire n'a rien dit. Elle a enfilé son imperméable et a essayé de soulever ses valises.

– Laisse, je vais le faire.

Elle est restée quelques secondes devant moi, puis s'est souvenue qu'elle devait ouvrir la porte. Je l'ai suivie jusqu'à sa voiture garée dans l'allée. Elle a ouvert le coffre et le maintenait en me regardant. J'y déposai les valises. On est restés quelques secondes à se regarder sans rien dire, puis elle a refermé le coffre, a fait le tour de la voiture et est venue s'asseoir au volant. Je me suis avancé jusqu'à sa portière.

Claire a levé le visage vers moi et a baissé la vitre.

– Bon… On s'appelle pour les formalités et tout le reste.

Je voulais lui dire combien je l'aimais et que j'allais probablement me laisser mourir si elle me quittait, mais il me semblait que toute parole serait vaine.

Sans me quitter des yeux, Claire a remonté la vitre.

Elle a mis le contact, fait une marche arrière pour quitter notre allée et la voiture s'est éloignée sous la voûte des arbres.

Je suis allé m'asseoir sur les marches de mon magistral porche. Il y avait encore ce vélo d'enfant sur le trottoir. Je suis resté assis là une dizaine de minutes et je suis rentré parce que je commençais à avoir froid.

Je suis allé dans la cuisine. Je me suis réchauffé une pizza que j'ai mangée devant un match.

À la mi-temps, Claire est revenue.

Je ne dis pas que tout est rentré dans l'ordre. Je ne dis pas non plus que ça nous a rapprochés. C'est encore trop frais.

Mais, en ce qui me concerne, j'ai pardonné à Claire. Il m'arrive d'y penser mais ce n'est pas une douleur aiguë comme cela semble l'être pour elle quand elle songe à ce qu'a pu être mon incartade avec Berit. Mais je n'ai jamais cherché à démentir quoi que ce soit. Cela ne me déplaît pas de la voir rongée de jalousie, quêtant réconfort et paroles rassurantes.

Nous avons déménagé, choisi une jolie maison avec jardin et chambres d'enfants dans une autre banlieue paisible.

REMERCIEMENTS

Je souhaite remercier particulièrement Marco, Marine, Serge, Olivier, Eric, Karina, et mes chers parents.

Pour l'éditeur, le principe est d'utiliser des papiers composés de fibres naturelles, renouvelables, recyclables et fabriquées à partir de bois issus de forêts qui adoptent un système d'aménagement durable.

En outre, l'éditeur attend de ses fournisseurs de papier qu'ils s'inscrivent dans une démarche de certification environnementale reconnue.

Cet ouvrage a été composé
par IGS-CP à L'Isle-d'Espagnac (16)
et achevé d'imprimer sur Roto-Page
par l'Imprimerie Floch à Mayenne
pour le compte des Éditions Jean-Claude Lattès
17 rue Jacob – 75006 Paris
en mars 2011

N° d'édition : 01 – N° d'impression : 79098
Dépôt légal : avril 2011
Imprimé en France